ANDRÉS INIESTA
EL GENIO DISCRETO

Dedicat amb molt d'afecte a la Marga Ramón.

Espero que gaudeixis del llibre i que tinguis unes molt bones festes!

AL POSTE
EDICIONES

ANDRÉS INIESTA
EL GENIO DISCRETO

Víctor Malo

Andrés Iniesta. El genio discreto

Fuencarral, 70
28004 Madrid (España)
Tel.: 91 532 05 04
www.alposte.es

Primera edición: septiembre de 2013

IBIC: WSJA
ISBN: 978-84-15726-16-6
Depósito legal: M-20.289-2013

Impreso en España - *Printed in Spain*

Índice

A mi familia, que me lo ha dado todo.

Prólogo

JOAN GASPART SOLVES

Cuando pensamos en Andrés Iniesta, de una forma automática e indisociable evocamos a un jugador de gran talento futbolístico, pero sobre todo a una persona solidaria, bondadosa, humilde y con una gran dosis de modestia.

Es un honor para mí tener la oportunidad de escribir el prólogo de este libro sobre él, teniendo en cuenta la estrecha relación que mantuvimos desde que llegó de niño a La Masía siendo yo vicepresidente del FC Barcelona, siguiendo por su debut en el primer equipo, siendo yo presidente de la entidad, y hasta la actualidad, que seguimos siendo buenos amigos.

Me siento muy orgulloso de haber estado en el club en los momentos más importantes de la vida de un jugador como Andrés Iniesta y, por qué no decirlo, de haber impedido su traspaso en un momento dado. Aquí quisiera recabar y agradecer el apoyo incondicional de su padre, ya que juntos lo logramos.

Desde muy pequeño la pelota siempre fue su fiel compañera. Y como es sabido, llegó a La Masía del Barça con solo 12 años. Por su corta edad, sus inicios fuera de su entorno familiar no fueron fáciles, pero tuvo grandes compañeros como Xavi, Jofre o Valdés, que hicieron más llana su adaptación. Aquí creció como persona y como futbolista.

Su familia fue crucial para la decisión de aquel niño que quería ser futbolista y así se lo hacía saber a su padre en los cientos de kilómetros que recorrían juntos desde Fuentealbilla hasta Albacete para entrenar. Allí jugó con el Albacete hasta que dejó de ser anónimo. Los responsables del fútbol base azulgrana lo ojearon y volvieron a Barcelona con una lista de nombres en una libreta, con Iniesta a la cabeza. Aquí fue primordial el consejo de su padre ante la negativa de Andrés a desplazarse a Barcelona. "Puede que el tren solo pase una vez en la vida", le dijo.

Después de meditarlo con sus padres y con la consiguiente motivación de estos (imprescindible para tomar cualquier decisión a esta edad), aceptó, convenciéndose de que costase lo que costase, lo aguantaría. Y aquí está. No es fácil arrancar a un niño de su ambiente familiar rural y sano y "transportarlo" a una gran ciudad. Ahí el mérito es básicamente de la familia, que supo arroparlo aun en la distancia, aportándole el equilibrio necesario para madurar como profe-sional y como persona.

Quisiera hacer un inciso en este apartado familiar: sus padres y su hermana lo dieron todo por él y también Andrés pudo cumplir su sueño de poder traer a su familia a Barcelona cuando firmó su primer contrato profesional. No sin desligarse de la tierra que le vio nacer. Este es el ejemplo de una familia unida.

Falta espacio para definir las grandes cualidades de Andrés. Es una de las piezas fundamentales del Barça de los últimos tiempos y de la selección española, formado en La Masía. Como líder indiscutible que es, comparte todo su conocimiento con su equipo; siendo el mejor no necesita competir, sino que nos hace disfrutar a los demás.

Ágil, virtuoso, parece que haga magia con el balón en sus pies, tímido, comedido, contenido en modos y maneras, íntegro, serio aunque no airado, elegante, discreto, disciplinado, generoso, afectuoso, solidario, bondadoso, honesto y un largo etcétera son virtudes que le convierten en una verdadera "obra de arte". Es apreciado más allá de las tradicionales rivalidades de los hinchas. Es curioso, pero Andrés es aclamado allá donde va y eso no lo pueden decir muchas estrellas, además esa sensación va más allá del campo de fútbol, en la vida cotidiana Andrés "cae bien" a todo el mundo.

Como persona, ha sabido aprovechar la oportunidad que ha tenido asumiendo que su actual posición implica una cierta responsabilidad social con el mundo que le rodea. Solo quiere hacer el bien con las personas. Amante de sus amigos de siempre, de su tierra, donde da trabajo a los vecinos de Fuentealbilla con su Bodega Iniesta. Por cierto, su pueblo es un oasis culé en un feudo tradicionalmente madridista...

Como deportista, es un gran maestro que juega con o sin la pelota y pocos futbolistas pueden alardear de la importancia de algunos de sus goles; hay goles de Andrés que nunca olvidaremos por su trascendencia tanto con el Barça como con la selección española. Desearía, y seguramente es el sentir de los aficionados al fútbol, poder seguir disfrutando de su gran calidad durante muchos años.

Felicidades Andrés por ser como eres y por hacernos tan felices a los amantes del fútbol.

Joan Gaspart Solves es expresidente del FC Barcelona.

Introducción

En un lugar de La Mancha de cuyo nombre no quiero olvidarme, no ha mucho tiempo que nació un hidalgo de blanca tez y de inmensa habilidad en los pies.

Junio de 2013. Un joven periodista se desplaza a la Ciutat Esportiva del FC Barcelona, en el municipio de Sant Joan Despí, un caluroso sábado a media mañana. Allí, una hora después de lo previsto, se encuentra con el padre de uno de los mejores futbolistas del mundo. El patriarca. Tras una larga llamada telefónica, José Antonio se acerca al reportero y le invita a hacer su trabajo.

"¿Vamos a un bar o a algún sitio tranquilo donde nos podamos sentar?", sugiere el periodista. "No hace falta, aquí estamos bien", decide José Antonio.

Grabadora en mano y sin pensar siquiera en descolgar la mochila de su espalda, donde se encuentran todas las posibles preguntas y la cámara de fotos, el periodista inicia la entrevista. No sin antes recibir una amistosa advertencia: "Con 20 minutos tienes bastante, ¿no?". "Se hará lo que se pueda", responde el joven, sabedor de que necesita más tiempo.

A partir de ahí, más que una entrevista, fluye una conversación que se alargaría hasta la hora de comer. Casi un par de horas, para ser más concretos. Todo el tiempo de pie, por suerte a la sombra. A ratos, apoyados en las paredes exteriores de la propia Ciutat Esportiva. Cada vez que José Antonio se encendía un cigarrillo —y no fueron ni dos, ni tres, ni cuatro—, el periodista respiraba aliviado, consciente de que iba a ganar unos minutos más de conversación.

El último tramo del encuentro, ya con la grabadora apagada, dio pie a comentar algunas inquietudes comunes. Hacienda y la dichosa declaración de la renta, el catalanismo, la crisis, el descontento político... "Si trajesen todo el dinero que han robado algunos políticos y otros personajes vinculados a las instituciones públicas, la crisis desaparecía de golpe", zanja rotundo José Antonio.

Con la sensación de haber cumplido la misión, el periodista se despide de José Antonio, satisfecho. En ese preciso momento se detiene junto a ellos un vehículo negro. En su interior asoma una mujer de piel morena y agradable sonrisa sentada en el asiento del copiloto. Mexicana, según delata su acento. Al volante su marido, de igual procedencia, y en los asientos traseros el hijo de ambos. Educadamente, la señora se dirige a José Antonio y al periodista para preguntarles si se encuentran delante del estadio del Barça, el Camp Nou.

Entrevistador y entrevistado explican a la mujer que se han equivocado y tratan de guiar a la familia hasta el feudo azulgrana. Con tan poca fortuna que, finalmente, José Antonio resuelve con toda la naturalidad del mundo: "Vamos a hacerlo más fácil, os guío con mi coche. Seguidme".

En ese instante, el periodista comete un acto de insensatez. Consciente de la posibilidad de que la familia mexicana llegue el Camp Nou de la mano de una persona que jamás sabrán quién es, el joven no puede reprimir la siguiente pregunta: "¿Sabéis quién os va a hacer de guía...?".

A ella se le iluminan los ojos. "¡Dígamelo, dígamelo!", exclama. El periodista, pensando que puede haber metido la pata, busca la mirada de José Antonio. "¿Se lo puedo decir?", pregunta dubitativo. Y el patriarca vuelve a tirar de naturalidad: "Claro, qué más dará". Acto seguido tiende su mano al joven a modo de despedida, se mete en el coche y arranca.

"Es el padre de Andrés Iniesta", le dice el periodista a la señora, con una sonrisa dibujada en su rostro. "¿De veras? ¿El padre de Iniesta?", repite ella, sorprendida. Entonces, no tarda ni un segundo en compartir esa información con su marido y, especialmente, con su hijo. Al momento, el chiquillo asoma medio cuerpo por la ventanilla del vehículo, envuelto en euforia y gritando frases indescifrables entre las que solo se llega a entender: "¡¿Es el señor Iniesta?!".

El periodista, todavía con la misma mueca de ilusión, contempla cómo los dos vehículos se alejan en dirección al Camp Nou, con la certeza de que aquella anónima familia mexicana se llevaría una curiosa anécdota de regreso a casa.

Cercanía. Es lo que transmitió aquel día José Antonio Iniesta y es lo que desprende el propio Andrés y toda la gente de su entorno que, con sus declaraciones, ha hecho posible este libro. Una historia sobre la vida de un gran deportista, pero mejor persona. Jugador emblemático del Barça y de la selección española, el manchego se ha convertido en la debilidad de España, en el futbolista de todos. Pero para llegar a lo más alto derramó muchas lágrimas en el camino. Como todas las historias, la de Andrés Iniesta también tiene un principio: Fuentealbilla.

Fuentealbilla, las primeras patadas

Año 1984. Comarca de La Manchuela. El olor a corral embriaga los rincones del humilde municipio albaceteño de Fuentealbilla. Un pueblo de apenas cien kilómetros cuadrados de superficie es testigo del nacimiento de un niño llamado a triunfar en la vida. El 11 de mayo del mismo año en que Los Ángeles se convirtió en capital mundial del deporte, vino al mundo Andrés Iniesta, uno de los mejores futbolistas que ha dado la historia del deporte español.

La ciudad californiana acogió los XXIII Juegos Olímpicos y devolvió la rentabilidad económica a la celebración deportiva más importante del mundo, cuyas últimas ediciones habían dejado muy mermadas las arcas de las ciudades organizadoras. A nivel deportivo, Estados Unidos devoró al resto de naciones con un total de 174 medallas (83 de oro), muy por encima de Rumanía (20 de oro y 53 en total) y de Alemania (17 de oro y un total de 59). España, en plena etapa de transición política y social, todavía no se podía permitir ser muy competitiva. Con todo, alcanzó el 20º puesto de la clasificación general y sumó un total de cinco medallas (una de oro, dos de plata y dos de bronce).

El mismo año en que Carl Lewis, el hijo del viento, irrumpió con descaro en el panorama internacional con cuatro metales dorados, Roberto Molina se alzó con el único oro español en la modalidad de vela. Más recordada es la plata conquistada por la selección española de baloncesto que comandaban Fernando Martín y Juan Antonio San Epifanio, *Epi*. Los Solozábal, Corbalán, Jiménez, Iturriaga, Romay y compañía se plantaron en la final tras derrotar meritoriamente a la temible Yugoslavia de Drazen Petrovic, pero no tuvieron nada que hacer en el partido definitivo contra Estados Unidos de un tal Michael Jordan. Petrovic se convertiría con el tiempo en un ídolo deportivo de Andrés Iniesta porque era un jugador que lo controlaba todo en la cancha. Salvando algunas diferencias, Andrés tiene un perfil muy parecido al del serbio, considerado por muchos el mejor jugador europeo de baloncesto de todos los tiempos.

Pese al auge mediático que aquella final olímpica supuso para el baloncesto, por aquel entonces el fútbol ya era la razón de ser del deporte en España. Todavía con la resaca del Mundial del 82, que se celebró en casa y se saldó con el triunfo de Italia y una discreta actuación del combinado español, la Liga acaparaba todo el interés de los aficionados. La temporada 1983-1984 fue competida hasta el final y se la adjudicó el Athletic Club en la última jornada. Real Madrid y FC Barcelona saborearon la gloria del campeón durante algunos instantes de aquel desenlace de infarto, en vano.

El Athletic, entrenado por Javier Clemente, consiguió su segunda Liga consecutiva a pesar de los dos duros correctivos que le asestó el Barça de Maradona, la misma temporada en que el argentino sufrió una fea entrada de

Andoni Goikoetxea que le acarreó siete partidos de suspensión. Sin embargo, los rojiblancos se desquitaron al conquistar también la Copa del Rey en la final contra el propio Barcelona (1-0), en la denominada "Batalla del Bernabéu". Y es que aquello acabó "como el rosario de la aurora". Las patadas y golpes entre "catalanes" y "vascos" se desataron en el estadio de España aquel dichoso 5 de mayo de 1984.

Tan solo seis días después nació Andrés Iniesta Luján. Tal vez, llamado a poner paz en el brusco, y a menudo violento, fútbol que reinaba entonces. Tal vez, para acabar con la sequía de La Roja y colocarla en lo más alto del panorama futbolístico internacional. Curiosamente, Andrés vio sus primeros rayos de luz en pleno reinado deportivo del Athletic, equipo con el que simpatizaba su padre. Club histórico que, sin saberlo, empezaba un proceso de declive pese a la grandeza de su afición. Una hinchada que, 27 años después, sería la única de toda España en posicionarse contra ese niño que acababa de nacer. Pero aún tenía que llover mucho.

José Antonio Iniesta Luján y María Francisca Luján Jiménez estaban de enhorabuena. Sobre todo esta última, porque dejaría de recibir esas primeras patadas en el vientre de su ya recién nacido. Unas patadas que no tardarían en encontrar un nuevo destinatario, el balón. José Antonio era un amante incondicional del fútbol y durante tres temporadas jugó en Tercera División, concretamente en el Denia. Aunque nunca se ganó la vida con su deporte favorito, el sueldo que percibía en Alicante le ayudaba en el día a día, pero tras pasar por la mili, decidió volver a su tierra. Allí siguió jugando en categorías preferentes del Albacete, pero priorizó formar una familia junto a la *Mari*, con quien ya ha superado la barrera de los 30 años de casados y los 35 de relación. "La *Mari* es mi segunda madre", ha afirmado en alguna ocasión José Antonio, en tono de broma.

A mediados de los ochenta, Fuentealbilla pasaba por ser uno más de los muchos pueblos de la Meseta que se fueron vaciando con el paso de los años. La mayor parte de los habitantes emigraba rumbo a las grandes ciudades para tratar de labrarse un futuro más prometedor, lejos del campo y de aquellas calles todavía sin asfaltar. Entonces era común que las familias tuviesen su propio corral en la parte trasera de la casa. Sobre todo los abuelos, que alimentaban y guardaban con recelo sus gorrinos, conejos y gallinas. Vivir en Fuentealbilla era vivir de la agricultura, principalmente del cultivo del cereal y la uva. De ahí la tradición vinícola que la familia Iniesta ha llevado a su máxima expresión a través de sus propias bodegas de vino. La otra alternativa que ofrecía el pueblo era la construcción. El de albañil era y es uno de los oficios predilectos de los habitantes del pueblo y el camino elegido por el padre de Andrés, que había llegado a estar diez horas subido en un andamio. José Antonio y su hermano pequeño, con el tiempo, empezaron a trabajar juntos como obreros autónomos y se dedicaron a edificar chalés, bungalós y otras obras en la costa de Alicante. En Moraira, Benissa y, cómo no, Denia, donde guardaba tan buenos recuerdos de su mejor etapa como futbolista.

Una vez abandonado el fútbol como deportista, la única manera que le quedaba a José Antonio de seguir enganchado a su afición era a través de Andrés, siempre consciente de que podía gustarle o no. Pero las dudas se evaporaron rápidamente. El hecho de haber jugado en Tercera ya le daba un cierto reconocimiento en su pueblo, pero había que estar ciego para no darse cuenta de que aquel constructor sentía auténtica devoción por el balompié. Tenía el "gusanillo", como lo describe él mismo, de poder transmitir su afición a su "chiquillo". Sin pensar en que algún día podría llegar a ser alguien, simplemente por la pasión, como la de tantos y tantos padres, de ver a su hijo hacer deporte y disfrutar en un campo de juego con un balón en los pies. Con tan solo ocho meses ya gateaba por el suelo de casa con una pelota. A los dos años y a punto de nacer su hermana pequeña, Maribel, José Antonio hizo bueno el dicho de que "cada maestrillo tiene su librillo": le compró un balón y le fue enseñando todo lo que sabía.

Andrés era un niño más de Fuentealbilla, un pueblo humilde donde todo el mundo se conocía. Su talento para el fútbol no pasó inadvertido, pero en sus inicios se desarrolló a través del fútbol sala. Ello ayuda explicar su técnica y la facilidad de regate que tiene ahora, capaz de irse de cualquier adversario en un palmo de terreno. Los chavales del pueblo se juntaban para jugar por las tardes, después de clase. Normalmente se reunían delante de lo que se conocía como las escuelas, antiguos centros de enseñanza. Al lado se encontraba la "pista", una superficie de cemento al aire libre con dos porterías y dos canastas, donde jugaban al fútbol sala. Muy cerca estaba también el frontón del pueblo y las piscinas municipales, que en realidad era una gran piscina de pago. Otro punto de encuentro eran los denominados escalones, justo al lado de la tienda más emblemática del pueblo. Su dueña, conocida como la "Relojera", se jubiló hace diez años, pero también representa una parte importante de la infancia de *Andresito*, como le llamaban a veces. Aquella tienda era el lugar idóneo para comprar toda clase de chucherías, gominolas, pipas, revueltos y polos helados.

Pero, sin lugar a dudas, el que más marcó su infancia fue el bar Luján, regentado por su abuelo Andrés Luján con ayuda de la *Mari*. Iniesta pasaba buena parte del tiempo que no estaba en el colegio entre las paredes de ese local, hoy convertido en una peña y un museo sobre el hijo pródigo. "El Quíñolas", como era conocido el bar en honor a uno de los antepasados de aquella rama de la familia, era el sitio donde se podía encontrar a Andrés con más facilidad y donde acostumbraba a hacer los deberes. La otra parte de la familia, los Iniesta, eran conocidos como "los Franchos", en honor a un bisabuelo de Andrés que se llamaba Francisco. Su abuelo paterno, Andrés Iniesta, fue el causante de que el chiquillo se llamase igual, aunque también compar-tía el nombre con el abuelo materno. Andrés cuenta por lo menos con unos 50 primos en Fuentealbilla y alrededores. Eran pocas familias, pero muy extensas. De ahí que José Antonio y la *Mari* compartan el apellido Luján, aunque no tengan un parentesco sanguíneo directo.

Entre el bar, los escalones y la pista transcurría la infancia de Andrés, que forjó una gran amistad con su primo segundo Miguel Luján, curiosamente por parte de padre y no de madre, y con otros jóvenes de la cuadrilla como Agustín, Juan Carlos y Juanfran, todos ellos de

Fuentealbilla. Asimismo, Andrés creó un vínculo importante con José Manuel, alias *León* por su apellido y también primo suyo, pero residente en Albacete. Junto a ellos y otros chicos, el menudo Iniesta, que ya destacaba por su pálida tez, nariz pequeña, ojos verdes ligeramente achinados y una sonrisa cargada de inocencia, se fue desarrollando como deportista y como persona.

Lo cierto es que era un chico con facilidad para los deportes. El frontenis, muy típico en pueblos de interior, se le daba bastante bien. Incluso tenía maneras en baloncesto, a pesar de su pequeña estatura. Pero, sin lugar a dudas, era mediante el fútbol como sacaba a relucir unas cualidades innatas. No había que ser muy inteligente para darse cuenta de que, pese a su humildad, Andrés destacaba muy por encima del resto. Ello ocasionaba alegrías pero también algún que otro disgusto. Especialmente, cuando jugaban "partidillos" a la salida de la escuela, puesto que todos los niños querían ir en el equipo de Andrés. Normalmente, y el que ha jugado a fútbol con chicos en la calle lo sabe, se seleccionaban por algún misterioso decreto juvenil dos capitanes que eran los encargados de hacer equipos. Si Andrés no estaba entre los capitanes, siempre era elegido en primer lugar. Pero cuando Andrés era capitán se generaba una curiosa problemática, dramática para algunos niños. Más de uno y de dos se habían agarrado algún buen mosqueo de los que tiene como consecuencia un "pues ya no juego" por no ser seleccionados por Iniesta, y es que ir en su equipo solía ser sinónimo de victoria.

Era la época en que los niños desarrollan también esa innata capacidad de hacer trastadas. Si en el recreo de la escuela no les dejaban jugar a la pelota por lo que fuese, se inventaban una alternativa a base de latas aplastadas que hacían las veces de balón. Más clásica era la broma de llenar de arena un cuero vacío y disponerlo para que alguien lo chutase. El esférico, repleto de tierra, pesaba mucho más de lo normal, y el inocente que caía en la trampa y lo pateaba se llevaba una visita a las estrellas de recuerdo. Andrés aprendía estas cosas de los mayores, con los que se solía juntar para jugar a fútbol. Siempre le gustó jugar con gente mayor que él. Tenían más nivel.

En verano, el pueblo se volvía especialmente animado, ya que a los jóvenes habituales se unían los que vivían en las ciudades pero que también tenían origen en Fuentealbilla. El pueblo parecía recobrar vida en aquella época del año, donde se celebraban las fiestas patronales durante el mes de agosto. Andrés era uno más y participaba en actividades como la fiesta del agua, donde todos se juntaban en la fuente principal del pueblo y se tiraban cubos y baldes llenos de agua. El objetivo, tan simple como divertido, consistía en buscar gente seca para empaparla. Otra tradición del pueblo era el denominado Jueves Lardero, una jornada en la que casi todo el pueblo se desplazaba a un paraje del campo donde solía haber una fuente para pasar el día en familia y rodeado de amigos, con mochilas llenas de bocadillos y refrescos. Aunque quizás, la actividad que más gustaba a Andrés era el torneo de fútbol de verano, donde el talentoso chaval hacía gala de sus habilidades.

Los juegos escolares fueron de gran ayuda para el crecimiento de aquel joven mago que empezaba a realizar virguerías con el balón. Andrés iba a la única escuela de

Fuentealbilla, el colegio público Cristo del Valle, donde también demostró ser un buen estudiante. En cuanto tuvo edad, entre los 5 y 6 años, pasó a formar parte del equipo escolar, que se enfrentaba contra pueblos de los alrededores, y para el que le entrenaba su padre. Andrés jugó dos o tres años en el Fuentealbilla, y en ese tiempo también pasó a formar parte del Albacete Balompié. Durante una época compatibilizó los partidos de su equipo del pueblo con los del referente provincial y de toda Castilla-La Mancha. Siempre que por horario le era posible, le gustaba echar una mano a sus amigos. "Cuando Andrés jugaba, pasábamos sin problemas de ronda y jugábamos contra pueblos más grandes, de 30.000 o 40.000 habitantes, como Almansa, que tenía un pabellón con suelo de parqué y gradas altas, algo que no estábamos acostumbrados a ver", confiesa uno de sus mejores amigos de la infancia. Hasta tal punto era fuerte el vínculo con el equipo de su pueblo, que el Albacete se desplazó a Fuentealbilla para disputar un partido amistoso en el que Andrés jugó media parte con cada equipo y terminaron empatados a dos goles.

En el Albacete estuvo cuatro temporadas. Llegó en la campaña 1992-1993, tras superar las pruebas de acceso con 8 años, y en el tiempo que estuvo dejó una huella imborrable. Entonces, el fútbol avanzaba hacia un concepto cada vez más físico, cosa que no beneficiaba especialmente a Andrés, siempre discreto en ese sentido. Pese a su talento innegable, en el propio Albacete también había quien tenía sus dudas con respecto a su progresión, pues la mayoría de chavales eran más altos y más fuertes. Pero Andrés ha convivido toda la vida con eso, y al final siempre se imponía su calidad por encima de los demás factores. Apegado y extremadamente afectivo, Andrés no tardó en crear un vínculo muy fuerte con el "Alba". De hecho, en su familia eran muy del Albacete, y más, tras las tres impresionantes temporadas que protagonizó el equipo entrenado por Benito Floro en aquellos años.

El también conocido como "Queso Mecánico" firmó la etapa más brillante de su historia con dos ascensos consecutivos, de Segunda B a Segunda A y al año siguiente a Primera. Todo Albacete y alrededores estaban volcados en la nueva aventura que emprendía ese equipo revelación que en su primer año en la máxima categoría del fútbol español, la temporada 1991-1992, logró un sorprendente séptimo puesto, una plaza de Europa. Aquella temporada le valió a Floro su fichaje por el Real Madrid y también despertó en Iniesta un ligero acercamiento sentimental hacia el que con el tiempo sería su eterno rival. El temible Dream Team de Johan Cruyff fue uno de los únicos equipos que no tuvo piedad con el Albacete aquel año. El Barça le endosó un contundente 7-1 que provocó un enfado monumental en Andrés, que solo tenía 7 años. Según ha explicado el propio Andrés en alguna ocasión, hasta entonces era culé y así lo acreditaban los pósteres colgados en su habitación, pero del "Alba" por encima de todo. Aquella humillación y la presión de su entorno, pues casi todos los amigos y la familia eran del Madrid, le llevaron a cambiarse de bando. De hecho, unos años después Andrés haría la siguiente afirmación, rotunda: "Yo era del Madrid a todo poder". Sin embargo, las vueltas que da la vida le llevaron a convertirse en uno de los jugadores más importantes de la historia del Barça y su sentimiento barcelonista está ahora fuera de discusión.

Pese a las dudas sobre su físico, Andrés continuó con su meteórica trayectoria. Cuando le preguntaban por su futuro, no vacilaba: "Quiero ser futbolista y tener una buena carrera". Razones no le faltaban. No solo por su talento, sino porque ya desde muy pequeño atesoraba una extraordinaria madurez mental, que le ayudaba a afrontar los retos con una visión muy adulta, siempre aconsejado por su padre. La relación entre ambos era formidable, y lo sigue siendo. Hasta el punto de que Andrés todavía hoy no toma ninguna decisión profesional sin consultarla antes con José Antonio. En aquellos lejanos años, su padre fue el encargado de promocionar la llegada de Andrés al Albacete. Para ellos, estar en el club de la capital era lo más grande a lo que podían aspirar, ya que el primer equipo estaba en Primera. "Si cuando era pequeño me hubiesen dicho 'firma aquí que Andrés jugará en el Albacete toda la vida', yo hubiese firmado, ¡por pasión de padre! Para mí eso era el *top*. Pero eso no se busca... Eso viene, y también se necesita un poquito de suerte", comenta José Antonio.

Sin embargo, también hay que recalcar que eran dos personas de carácter. Aunque no lo parezca, Andrés es un tipo de ideas firmes y, como buen tauro, cuando se le mete algo en la cabeza hace todo lo que está en su mano por conseguirlo. Metódico, trabajador y sacrificado, Iniesta ha ido superando etapas gracias, en buena parte, a su solidez mental. Por eso, en algunos casos, padre e hijo se cogían algún que otro rebote. Nada importante, enfados momentáneos. El caso más habitual era por la puntualidad. Cuando

Andrés estaba en el Albacete, la familia tenía que organizarse como podía para llevar a su hijo a los entrenamientos. La *Mari* estaba en el bar y José Antonio en el andamio. Se turnaban como podían para llevarle. A veces, recurrían al abuelo o a su tío, Andrés Iniesta Luján, un acérrimo seguidor del Real Madrid que siempre ha tenido predilección por su sobrino del Barça. Entre Fuentealbilla y Albacete hay unos 45 kilómetros, y ello suponía que Andrés tenía que abandonar el colegio sin terminar la última clase para poder llegar a tiempo.

"Los maestros le dejaban salir media hora antes para que fuese a entrenar, porque tener a un chico del pueblo en el Albacete era el no va más", recalca uno de sus primos. José Antonio también tenía que salir antes del trabajo para poder llevarlo, pero a veces no era posible. A menudo llegaban diez minutos tarde. Andrés lo entendía, pero cumplidor como es, no llevaba bien ir con retraso. Los entrenamientos empezaban a la una del mediodía. Su padre, o quien pudiese, lo recogía media hora antes, lo llevaba y luego había que ir a por él a las dos de la tarde para llevarle de vuelta a la escuela, que terminaba a las cinco de la tarde. Andrés solía comer un bocadillo y un plátano por el camino, en el trayecto de vuelta. Muchos años después, José Antonio se muestra reacio a la hora de atribuirse algún mérito por la carrera que ha desarrollado su hijo: "Yo no me destaco por ser el más inteligente del mundo, me destaco por ser un trabajador normal y corriente, el padre de Andrés. Me ha tocado vivir esa vida con él y estoy orgulloso de representarle".

La decisión más difícil

La vida es cuestión de prioridades. A veces aciertas, a veces te equivocas... Pero lo importante es tomar una decisión. Quien no juega no gana. Eso es algo que Andrés Iniesta y su familia tienen claro desde hace mucho tiempo. Para conseguir lo que uno quiere, a menudo hay que arriesgar. Andrés aprendió esa lección de muy pequeño.

Siempre que hablan del Albacete, la familia Iniesta no tiene más que palabras de agradecimiento. Por cómo trataron a Andrés, por todo lo que aprendió allí y, sobre todo, porque le dio la oportunidad de seguir creciendo. Ese es el motivo de que nuestro futbolista de 29 años mantenga un estrecho vínculo con los compañeros que tuvo —Mario, Bruno, Carlos, David y José Carlos—, con los que todavía se reúne para cenar siempre que pasa por su tierra. El cariño hacia el Albacete ha provocado que Andrés se vuelque con el club de su infancia también en lo económico. Por ese motivo, en diciembre de 2011, Andrés pasó a ser el máximo accionista del club manchego con la compra de 7.000 acciones, tras una inversión de 420.000 euros. A finales de 2012 Andrés y su padre aportaron otros 400.000 euros para resolver pagos atrasados de la plantilla y al término de la temporada 2013 tuvieron que tomar una nueva decisión con respecto al club. Poner otros 240.000 euros por las denuncias de los futbolistas impagados o dejar que descendiese a Tercera División, lo que a efectos prácticos venía a ser la desaparición del Albacete. Los equipos apenas tienen ingresos en Segunda B, mucho menos en Tercera. La única opción para reflotar de verdad al club sería conseguir su ascenso a Segunda A.

Los Iniesta no tenían ningún tipo de interés más allá del puramente sentimental en este proyecto, en el que invirtieron 1,3 millones de euros en dos años. Cuando en 2011 la situación se tornó insostenible, los responsables de la entidad llamaron a quienes creyeron que les podrían ayudar. Unos aceptaron, otros no. Entre los que se mostraron dispuestos a colaborar destacaban ellos, empeñados en salvar el club de su tierra. Sin embargo, Andrés Iniesta también tiene unos topes. En agosto de 2013 dimitió el consejo de administración y la familia Iniesta salió de la dirección, aunque se mantuvo como accionista. El reto sigue siendo el mismo: mantener vivo al Albacete. De momento, seguirá jugando una temporada más en Segunda B. Como todas las decisiones importantes, la aportación económica que hicieron al club entrañaba sus riesgos. Si finalmente sale mal, toda la inversión habrá sido en vano. Pero nadie podrá decir que no lo intentaron.

El caso es que el Albacete se ganó un lugar privilegiado en el corazón de Andrés, y de ahí todo el esfuerzo que está haciendo en los últimos años. El club manchego también tuvo un papel fundamental a la hora de que los ojeadores del FC Barcelona fijasen sus ojos en su pequeño genio, en mayo de 1996. El hecho de tener equipo en Primera, donde aguantaron cinco temporadas, daba la posibilidad de que los alevines participasen en el famoso torneo de Canal Plus que se celebraba en la localidad madrileña de Brunete. Organizado por el periodista José Ramon de la Morena y por Carmelo Zubiaur, el Torneo Nacional Alevín de Fútbol 7 de Brunete era la oportunidad perfecta para dar a conocer a jóvenes talentos emergentes de entre 11 y 12 años.

Andrés Iniesta participó en dos ocasiones. La primera con 11 años, uno menos que la mayoría, y el número 6 a la espalda: logró un meritorio cuarto puesto y fue de los mejores jugadores de la competición. La segunda, ya con 12 y con el dorsal 5, como figura indiscutible del equipo alevín del Albacete. Después de realizar un torneo espléndido, Andrés se convirtió en objeto de deseo de los clubes más importantes. Su equipo tuvo el infortunio de toparse con el Racing de Santander en semifinales, que, guiado por un brillante Jonathan Valle, se impuso al cuadro manchego y se proclamó campeón del torneo en la final, después de vencer al Espanyol por 2-1. Andrés y su Albacete se tuvieron que conformar con un tercer puesto tras derrotar al Real Madrid. Aunque no ganó, Iniesta acaparó elogios y fue nombrado mejor jugador del campeonato, por delante de la joya del Racing. Valle es un futbolista que trató de hacer carrera en su club, pero que finalmente vagó por España de cesión en cesión, pasó por el Rubin Kazán ruso, donde consiguió el único título como profesional que figura en su palmarés, y la temporada 2012-2013 defendió la camiseta del Recreativo de Huelva en Segunda División, a las órdenes del exazulgrana Sergi Barjuan.

Lo cierto es que eran muchos los jóvenes talentos que apuntaban alto en Brunete y que se acababan quedando por el camino. Siempre ha estado muy caro hacerse un hueco en la elite y triunfar. Solamente algunos privilegiados pueden presumir de haber llegado, entre los que se encuentran Fernando Torres, David Silva, Jaime Gavilán, Ander Herrera, Iago Falqué o el joven Gerard Deulofeu, que sube disparado. De las diez últimas ediciones del torneo de Brunete, que ahora se celebra en otras ciudades y en 2013 estuvo patrocinado por el BBVA, hasta en seis ocasiones el elegido como mejor jugador era del Barça, equipo que domina la competición con siete títulos, por encima de Real Madrid y Espanyol, ambos con dos. En la edición de 2013, el más valioso fue el entonces espanyolista Adrià Bernabé, que en la temporada 2013-2014 jugará también de azulgrana. Otro caso parecido que terminó con fichaje del Barça fue el de Jorge Troiteiro, el mismo año en que despuntó Andrés. También nacido en la provincia de Albacete, de pequeño se fue a vivir a Extremadura, y de la mano del Mérida consiguió destacar entre las promesas del famoso torneo.

Albert Benaiges, un entendido de fútbol muy vinculado a la escuela Barça, era entonces el entrenador del alevín azulgrana. Aquel año sus pupilos tuvieron un papel discreto, con lo que Benaiges tuvo tiempo de echar el ojo a los talentos más prometedores, Iniesta y Troiteiro. Después de pasar informes, el club se puso manos a la obra a través del coordinador del fútbol base de la entidad, Oriol Tort, que compartía funciones con Joan Martínez Vilaseca. El *Cazatalentos*, como solían llamar a

Tort, no dudó en poner toda la carne en el asador para reforzar el alevín del Barça con aquellos dos diamantes en bruto.

Tanto Andrés como Jorge también fueron tentados por el Real Madrid, que no podía competir con las condiciones que ofrecía La Masía de Can Planes, popularmente conocida como La Masía, a secas. Las familias de aquellos dos jóvenes prodigios tenían claro que su prioridad era el Barça, cuyas instalaciones eran mucho más idóneas para su crecimiento. Troiteiro explica que "para ir a los campos de entrenamiento del Real Madrid había que coger el metro, en cambio para ir al Mini solo había que cruzar una calle". "En cuanto me hablaron de las virtudes de La Masía, me convencieron, a pesar de que a mí también me gustaba más el Madrid de pequeño", recuerda el todavía futbolista. Tort vio tanto talento en aquellos niños que estaba dispuesto a incorporar por primera vez a dos chavales tan jóvenes. Normalmente, los futbolistas de fuera llegaban con 14 años, pero con ellos se quería hacer una excepción, y la idea era que llegasen juntos.

El verdadero problema vino con Iniesta. El genio de Fuentealbilla no veía con buenos ojos abandonar su casa, su familia, su pueblo, sus amigos... Se le hacía una montaña, sensible y apegado como era. Andrés era un chico muy feliz en su tierra, y no entendía por qué debía irse. Para él, triunfar en el fútbol no era la mayor prioridad en aquel momento. Valoraba mucho más estar con su gente. Su padre, que le intentó hacer ver que aquella era una oportunidad única, siempre respetó la elección de Andrés. "Si no te vas, no pasa nada, aquí lo primero eres tú, y después los demás", le decía. "Papá, lo tengo claro, me quiero quedar", contestaba el pequeño. La obligación como padre era explicarle lo que aquello podía suponer, pero la decisión final tenía que tomarla él. Probablemente, la decisión más importante de su vida. Tan rotundo fue Andrés, que el *Profesor* Tort se dio por vencido. Todos asimilaron que se quedaría en su "Alba".

Ello comportó una nueva problemática con Jorge Troiteiro, según explica Aritz Gabilondo en su libro *La Roja. De niños a leyendas*. El Barça transmitió a la familia de Jorge que se esperasen hasta los 14 años para fichar por el club, pero su padre, también exfutbolista y conocedor de este complicado mundo, amenazó con llevar a su hijo al Real Madrid. La estrategia surtió efecto y el Barcelona admitió a Jorge en La Masía ese mismo verano del 96. En teoría, sin contar con la compañía de Andrés.

Fue un verano muy largo. Andrés, un joven extraordinariamente maduro para su edad, tenía claro que no quería irse. Pero las palabras de su padre se repetían en su cabeza una y otra vez: "Hay trenes que solo pasan una vez en la vida". Podía ser una oportunidad única para él. Reflexivo como era, un buen día llegó a la conclusión de que tal vez no era tan descabellada la idea de fichar por uno de los clubes más importantes de España y del mundo.

Fue poco antes de viajar a Port Aventura, el parque de atracciones más espectacular y mediático que se ha construido en territorio español, situado en la provincia de Tarragona. Tras su exitosa participación en el torneo de Brunete, uno de los premios que se derivaban de su trofeo como mejor jugador era una invitación al parque temático, a finales de agosto. Unos días antes de partir, Andrés compartió la reflexión que llevaba tanto tiempo rondando por su cabeza. "Ya que estaremos tan cerca de Barcelona, ¿podríamos aprovechar para visitar La Masía?", le preguntó a su padre. José Antonio, sorprendido, entendió que era una buena idea. No costaba nada ir a ver las instalaciones, aunque Andrés ya había empezado la pretemporada con el Albacete y estaba inscrito en el colegio. La idea era hacer una simple visita, al menos así lo interpretó su familia en aquel momento.

José Antonio llamó a Oriol Tort y le preguntó si cabía la posibilidad de que se desplazasen a conocer La Masía. El *Cazatalentos*, fiel a su innegable olfato, no lo dudó ni un momento. "Aunque no fiches por el Barcelona, ponte el traje del equipo, ni que sea para ver cómo te queda", le dijo Tort al joven Iniesta. Este aceptó encantado, y luego tampoco pudo resistirse a la invitación de ponerse a jugar una "pachanga" con el resto de chavales. "Es una locura que no venga, no he visto a nadie jugar como este crío", le dijo Tort, siempre respetuoso, al padre de la criatura. José Antonio, que reconoce que el *Profesor* es una de las mejores personas que conoció en aquella época, estaba de acuerdo con él, pero insistió en que había que respetar la voluntad de su "chiquillo".

La conclusión seguía siendo la misma, a pesar de todo, Andrés no iba a fichar por el Barça. Con esa idea se despidieron, pese a las fantásticas impresiones que se llevaban. Pero la "cabecita" pensante de Andrés nunca descansaba. Cada vez tenía más dudas al respecto, la visita fue sobre ruedas y la imaginación de aquel niño echó a volar pensando en todo lo que aquello podría significar para él, siempre con las palabras de su padre muy presentes.

El 3 de septiembre de 1996, en uno de sus rutinarios viajes a Albacete, Andrés hizo al fin la pregunta del millón: "¿Papá, crees que si llamamos al Barça aún estaré a tiempo de ir para allí?". Su padre no lo podía creer. Le dijo que no lo sabía, que era muy tarde, que estaban rizando el rizo y que tanto la temporada con el Albacete como la escuela estaban a punto de empezar. Pero lo que más le preocupaba a José Antonio era el porqué del cambio de opinión de su hijo. "Si me quedo y sale mal siempre podrás decir que me diste un consejo que yo no seguí, y no me lo perdonarás nunca", analizó el pequeño Iniesta. Su padre reaccionó con sinceridad: "Eso no te lo tienes que tomar así porque no es así... También puede ser que me equivoque yo". José Antonio quería que Andrés tuviese muy claro que, tomase la decisión que tomase, le iba a apoyar y no se lo iba a reprochar nunca. Acto seguido, le avisó de todo lo que acarreaba fichar por el Barça. "Piensa que tendrás que estar un año entero, no es cuestión de ir y a los dos meses volver", le advirtió. Entonces, Andrés sacó su versión más competitiva y sacrificada, la que tantas y tantas veces ha mostrado en el terreno de juego: "Un año no te fallo. Entero".

Así lo explicó el propio Andrés Iniesta en un fabuloso artículo escrito por Ramon Besa y Luis Martín, alias *Lu*, para el diario *El País*: "Después de pensarlo mucho, de hablar con mis padres, dije que quería venir. Una vez dicho, me convencí de que costase lo que costase lo aguantaría. Es mi forma de ser, son los valores que tengo. Si tomo una decisión, aunque sea consciente de que me va a costar muchísimo, no miro atrás. Es muy similar en la vida y en el deporte. Por eso cuando le dije a mi padre 'nos vamos', sabía que no habría viaje de vuelta".

Aún faltaba saber la opinión de Tort y Vilaseca. Quizás ya era demasiado tarde. José Antonio llamó una vez más al *Cazatalentos* y la reacción del coordinador de La Masía volvió a ser maravillosa: "¿Cómo que si puede venir? Si es mañana mejor que pasado, y si no tiene cama, aunque sea dormirá en la mía".

La Masía

Con el paso del tiempo, Iniesta, sus padres y todos los que participaron de alguna manera en aquella decisión, la han analizado con perspectiva y la conclusión es que se acertó. Podía haber salido mal, y entonces le hubiesen llovido los "palos" a José Antonio, según admite él mismo. Quizás ahora pensarían que fue un error frenar su evolución en el Albacete, donde Andrés crecía año a año de manera exponencial. "Con este tipo de decisiones siempre corres un riesgo, pero para algún lado tienes que ir", apunta el padre del mejor jugador de Europa de 2012, consciente de que a veces también es cuestión de suerte.

Iniesta fichó por el Barça en septiembre de 1996, el mismo año en que Bobby Robson sustituyó a Johan Cruyff en el banquillo del primer equipo azulgrana. La misma temporada en que la primera plantilla incorporó a un delantero que parecía venido de otro planeta y que generó una impresionante, aunque fugaz, corriente de ilusión en el barcelonismo: Ronaldo. Sin embargo, la afición estaba más dividida que nunca en torno a la figura del propio Cruyff y de Josep Lluís Núñez, presidente del Barcelona durante 22 años. El 18 de mayo, el técnico holandés había sido destituido como entrenador tras ocho años de gloria, como consecuencia de una tensa reunión en los vestuarios del Camp Nou, donde volaron algunas sillas entre gritos e insultos. Iniesta llegaba al Barça en el peor momento posible, porque el club pronto entraría en una espiral más negativa que positiva. Sin saberlo, él era uno de los llamados a revertir esa situación en el futuro.

El "aterrizaje" de Andrés en La Masía tuvo tintes de drama. Un Ford Orion azul oscuro se encargó de transportarlo en el viaje más amargo de toda su vida. Pararon a comer a la altura de Tortosa y el llanto le impedía pegar bocado. La *Mari*, que nunca vio con buenos ojos que su chiquillo se fuese a Barcelona, también era un mar de lágrimas. Ni su padre ni su abuelo materno eran capaces de comer, presos de la tristeza. Dos horas después llegaron a la que sería su futura residencia, un edificio histórico de dos plantas construido en 1702, que fue adquirido por el FC Barcelona de forma oficial en 1954, junto a los terrenos donde se edificaría el Camp Nou. En octubre de 1979 fue reconvertido en residencia de futbolistas por iniciativa de Núñez y Cruyff.

Los recibió Joan Farrés, el director del centro, y les explicó dónde dormiría Andrés durante los años venideros. El primer jugador que les presentaron era un portero del equipo juvenil que se llamaba José y medía 1,90 metros de altura. "Dios mío", pensó *Andresito*. Después de visitar todas las instalaciones, llegó la hora de cenar y se repitió la misma escena del mediodía: lloros y más lloros. Aquella noche, el padre y el abuelo de la criatura estuvieron a punto de cometer una imprudencia a las cuatro de la madrugada. Sin poder dormir, decidieron ir a por Andrés y llevarlo de regreso a Albacete, porque parecía que se iba a acabar el mundo. Sin embargo, la *Mari* actuó con diligencia y les paró los pies. Habían tomado la decisión de llevarlo a Barcelona y tenían que ser consecuentes. Al día siguiente, sus padres le llevaron a su nueva escuela, el colegio Lluís Vives, situado en el barrio de Pedralbes, en la zona alta de Barcelona. "Te esperamos a la salida", le prometieron sus progenitores. Pero nunca cumplieron aquella promesa. Con el tiempo, Andrés entendió aquella acción como la mejor forma de no alargar la agonía.

Las primeras semanas fueron muy difíciles para Andrés. Estuvo a punto de salir mal la jugada. A los dos meses ya se quería volver. Se había comprometido a estar un año entero y tomar una decisión a final de temporada, pero la añoranza se lo comía por dentro. Acostumbrado a estar rodeado de gente en su Fuentealbilla natal, en Barcelona se sentía completamente solo. Hasta el punto de que dejó de comer. Tomaba zumos y poco más, lo demás se lo tenían que meter a la fuerza. Incluso le salieron *boqueras*, una infección en forma de pequeñas heridas muy molestas en la comisura de los labios. Una de las causas de su aparición es la falta de hierro y vitaminas, y suelen reproducirse en la infancia o la vejez. En el caso de Andrés, eran consecuencia directa de no comer, síntoma inequívoco de flojedad.

Pese a todo, seguía jugando al fútbol. Era prácticamente lo único que hacía, además de ir a la escuela. El resto del tiempo se lo pasaba encerrado en La Masía. Sus padres tenían comunicación telefónica a diario con Farrés, quien les decía que la evolución de Andrés estaba siendo complicada. Sentía demasiada nostalgia y ello le impedía hacer vida normal. Tan deprimido estaba que sus padres se llegaron a plantear muy seriamente su regreso a Albacete. Si tenía que sufrir tanto, quizás lo mejor era que volviese a casa.

Sus padres notaban especialmente la pena que sentía cuando se volvían a ver, en vacaciones y algunos fines de semana. Por desgracia para ellos, no podían ser muchas veces al año. Cuando la *Mari*, José Antonio y Maribel iban hasta Barcelona a visitarlo, Andrés exteriorizaba toda su alegría, aunque nunca ha sido muy dado a expresar sus sentimientos más profundos. Abandonaba La Masía para ir con ellos al hotel y hasta dormía con sus padres. No quería una cama para él solo. Necesitaba cariño. El problema es que el club todavía no tenía el funcionamiento idóneo para casos como el suyo. La normativa del Barça garantizaba tres visitas anuales a los padres, en las que la entidad se hacía cargo de los gastos. Las visitas añadidas tenían que ir a cuenta de la familia y, entonces, los Iniesta tenían muy presente su origen humilde. Pese al dinero que José Antonio ganaba en la construcción y al trabajo de la *Mari* en el bar del pueblo, no se podían permitir los costes de viaje, alojamiento y comidas que se generaban. A duras penas podían pagar la letra del coche y el alquiler. De hecho, uno de los regalos que Andrés recuerda con más cariño es el modelo de zapatillas Adidas Predator que le regaló su padre después de haber ahorrado durante tres meses para poder comprarlas. "Cuando las miro, recuerdo de dónde vengo", ha comentado alguna vez, ya como futbolista profesional.

El sistema de visitas provocó el descontento de la familia Iniesta, siempre extremadamente respetuosa con el club, pero consciente de la necesidad que tenía Andrés de mantener más contacto. Ellos entendían que ese tope tenía sentido en el caso de las familias cuyos hijos se alojaban en La Masía pero que gozaban de más proximidad. Podían hacer una visita fugaz en cualquier momento. Ellos no. Hasta que Llorenç Serra Ferrer, que se incorporó al organigrama del FC Barcelona en 1997, cambió la política del club y quitó límites al número de visitas sufragadas por la entidad. No tenía sentido que los padres no pudiesen ver a sus hijos siempre que quisieran. Tampoco era muy solvente el sistema telefónico. Una sola cabina en toda La Masía generaba colas interminables de niños ansiosos por ponerse en contacto con los suyos. Andrés llamaba cada noche, pero esas restricciones fueron especialmente dañinas para él.

Cuando más cerca estaban todos de tirar la toalla y optar por el retorno del chico al pueblo, una vez más, Andrés sacó fuerzas de flaqueza. De repente, la llamada entre sus padres y el director volvió a ser positiva. Parecía que lo podía asimilar. Había tocado fondo, pero estaba descubriendo la manera de levantarse. "Me quedo", afirmó rotundo el joven, luchador insaciable y eterno enemigo del darse por vencido. A partir de aquel momento se reactivó y terminó el año de manera brillante. Hasta el punto de que a la temporada siguiente fue convocado por primera vez a las categorías inferiores de la selección española de fútbol.

Buena parte de la culpa de aquel cambio la tuvieron las personas más cercanas a Iniesta en aquellos tiempos. Considerado por todos su descubridor, aunque él insista en decir que solo hizo su trabajo y que cualquier otro se hubiera fijado en su talento, Albert Benaiges daba cobijo a Andrés cuando más lo necesitaba, cuando se sentía solo. En especial, los fines de semana. De lunes a viernes la vida en Can Barça transcurría relativamente deprisa. Los chicos tenían muchas obligaciones entre la escuela, los entrenamientos y los horarios de comedor y de estudio. Apenas tenían tiempo para sentarse a pensar. Pasado el viernes, la historia era completamente distinta. Los sábados y domingos se hacían interminables. La única obligación era el partido del fin de semana, al que ni siquiera podían acudir sus padres con asiduidad. Una vez terminado, se presentaba una larga hilera de horas muertas que le condenaban a una profunda soledad y añoranza, más teniendo en cuenta que La Masía prácticamente se vaciaba. Ahí fue importante la figura de Benaiges, que en más de una ocasión invitaba a Iniesta y Troiteiro al cine o a su casa a ver alguna película o partido de fútbol. Aquellas tardes frente a la gran pantalla también despertaron otras inquietudes en Andrés, que con el tiempo se ha declarado admirador de Denzel Washington y Russell Crowe. *Gladiator* se convirtió en una de sus películas favoritas; también *American Gangster,* donde coinciden ambos actores. A nivel de animación, siempre se decantó por la serie futbolera *Oliver y Benji*, cuyas camisetas colecciona en la actualidad.

Tanto Andrés como Jorge se iban formando como personas al tiempo que evolucionaban como futbolistas, y Benaiges fue lo más parecido a un padre que tuvieron en Barcelona. El entrenador del fútbol base se llevaba a los dos menudos genios a comer por el puerto olímpico de la capital catalana, acompañados de su hijo adoptivo Samuel, todavía más pequeño que ellos. Una de las aficiones favoritas del técnico era pasear con los tres por la Barceloneta e ir a tomar la mejor horchata de Barcelona. Para Andrés aquello era todavía más importante que para Jorge, si cabe, porque el ex del Mérida tenía familia en Badalona, donde afortunadamente podía pasar los fines de semana también en buena compañía.

Evidentemente, Jorge fue un apoyo vital para Andrés. Y viceversa. Dormían en la misma litera, iban juntos al colegio, comían juntos, entrenaban juntos... Eran uña y carne. Su rutina semanal pasaba por acudir a las aulas del Lluís Vives toda la mañana, hasta las 13.30 horas. De ahí, iban a La Masía, donde Fernando, el cocinero, se encargaba de su alimentación. Eso sí, respaldado por un espléndido séquito de cocineras, ayudantes de cocina y de limpieza, que amenizaban, con su buen carácter, la hora que pasaban en el comedor. Se comía bien en Can Planes, al menos es lo que se desprende de los muchachos que pasaron por allí. Se juntaban todos los residentes en la mesa y engullían el menú, que era muy variado, pensado para deportistas. Normalmente, empezaba por una ensalada, dos platos de comida y postre. Era contundente, dirigido a chicos que quemaban muchas grasas y calorías en los entrenamientos. A primera hora de la tarde, tras la siesta voluntaria a la que tanto se acostumbró Andrés, tenían entre una y dos horas reservadas a los estudios. En sus habitaciones, aprovechaban para hacer deberes y avanzar tareas extras que les encomendaban los profesores para compensar que no asistieran a clase por las tardes. A media tarde, a eso de las seis, empezaban los entrenamientos y duraban menos de dos horas. Tras la ducha y un poco de tiempo libre, volvían al comedor para cenar. El día terminaba ahí, cuando subían a sus habitaciones a descansar.

Andrés y Jorge pasaron a ser conocidos como los "enanos". Así les llamaba todo el mundo. El hecho de ser los primeros en llegar a una edad tan temprana hizo que rápidamente se convirtiesen en objeto de mimo por parte de los demás. Estaban protegidos y recibían el cariño del resto de chicos que habitaban en Can Planes, normalmente de entre 14 y 18 años. Entre ellos estaba Víctor Valdés, un portero de cualidades felinas que con el tiempo sería conocido como la "Pantera de L'Hospitalet", aunque él siempre presume de ser de Gavà, donde mantiene su majestuosa residencia. Valdés, dos años mayor que los "enanos", ayudó a Jorge a subir las maletas al cuarto en su primer día, pero conectó especialmente con Andrés por el carácter introvertido que los caracterizaba a los dos. Sin embargo, su primer contacto fue negativo, según ha confesado el propio Víctor en un libro sobre Iniesta publicado por el diario *Sport* y redactado por Jordi Gil y Javier Giraldo. "Acabó en pelea", reconoce el actual arquero del Barça, incapaz de recordar el motivo que originó la disputa. "A raíz de la reacción que tuvo aquel chaval menor que yo, le cogí mucho cariño y podríamos decir que me empecé a enamorar de un chico que echaba de menos a su familia." Desde entonces estrecharon un lazo de amistad que se mantiene intacto 17 años después. Aunque en ocasiones Víctor pueda transmitir una imagen más chulesca, los que le conocen aseguran que es una de las personas más nobles que hay, de aquellos que darían la cara y lo que fuera por un amigo de verdad, como Andrés. De hecho, nunca ha escondido el cariño que le tiene. Pese a que todavía en la actualidad son hombres de pocas palabras, ambos han sido siempre personas de ideas muy claras, con mucha capacidad de sacrificio, que han luchado por cumplir un sueño y lo han conseguido con tenacidad y esfuerzo. Aunque a veces no lo parezca, Andrés también es un tipo con carácter, que no mal temperamento. Así lo describe Valdés: "Una gran virtud de Andrés fue la de caer muy bien a la gente. Con 12 años iba de cara, tenía mucha personalidad. Era muy auténtico. Los jugadores de categorías superiores valoraban que no era una persona falsa". Pero entonces, el compañero inseparable de Andrés todavía era Jorge. Con él compartió cinco largos años que fueron de más a menos.

El primer dormitorio que les tocó de los cuatro que albergaba La Masía fue el que se consideraba como la habitación de invitados, aquella a la que iban a parar los recién llegados. Los primeros jóvenes con los que compartieron su espacio eran promesas del baloncesto que se quedaron por el camino, entre ellos Juanito y Beltrán. También estaba Nacho Martín, que llegó a debutar con el primer equipo del Barça y ha jugado varios años en la ACB, en los últimos tiempos en el Valladolid. Andrés y Jorge duraron poco tiempo en aquel cuarto, y poco después fueron reubicados en una habitación solamente de futbolistas. Cuatro literas, ocho camas y algunos de los nombres que más sonarían en el mediático entorno barcelonista durante los años venideros: Carles Puyol, Pepe Reina, Mikel Arteta, Thiago Motta, Gabri, Nano, Jofre o el ya citado Víctor Valdés. Compartieron cuarto prácticamente con todos, ya que los cambios de dormitorio eran frecuentes. Por edad, con Puyol coincidieron menos, ya que era seis años mayor, pero si no era en la habitación, se veían en los comedores. Lo mismo ocurría con Xavi Hernández, que tenía cuatro años más pero no se alojaba en La Masía, aunque pasaba muchas horas allí. El trato era muy bueno con todos. Reina, como se ha podido comprobar tras su paso por la selección española de fútbol, era de los más extrovertidos y bromistas, especializado en hacer novatadas, aunque también las hacían Valdés y el resto. Andrés y Jorge nunca fueron víctimas de ellas, pues gozaban de esa protección especial derivada de ser los más pequeños. Aquello era como una familia y ellos dos eran los mimados, de quien todo el mundo estaba pendiente. Sin duda, el afecto de los mayores ayudó, poco a poco, a compensar la nostalgia que sentían por las noches, cuando se iban a dormir y no podían reprimir las lágrimas.

A medida que se fueron adaptando, también participaron en alguna travesura. La más frecuente consistía en organizar "partiditos" de fútbol con pelotas de tenis en el interior de la residencia, cosa que estaba prohibida. Cuando los vigilantes andaban lejos, montaban torneos y usaban las dos puertas grandes del pasillo central del piso de arriba a modo de porterías, ambas solo compuestas por sus respectivos marcos. Eran partidos de uno contra uno, y a la que alguno de los dos encajaba un gol, salía de la "cancha" y era reemplazado por otro. Lo que popularmente se conoce como un "rey de la pista", donde el que marca sigue jugando. En el instante en que escuchaban al vigilante nocturno más habitual, de nombre Fernando, alias *Ferri*, recogían y se iban pitando cada uno a su cuarto, como si no hubiera pasado nada. A veces, *Ferri* les llamaba la atención aunque no les hubiera pillado in fraganti, simplemente por el ruido que se oía desde el piso de abajo y que desaparecía en cuanto sus botas enfilaban las escaleras. Pero su relación era muy buena.

Otra costumbre que cogieron Andrés y Jorge, con un punto de rebeldía, era la de pintar las botas que les regalaba el club cada año. Generalmente eran de la marca Munich, negras con letras blancas, pero ellos las coloreaban.

Jorge se adaptó más deprisa que Andrés y superó antes la fase de nostalgia. El extremeño de sentimiento recuerda cómo, desde su litera superior, escuchaba al manchego llorar en la cama de abajo. A veces trataba de animarle con un chiste o alguna broma, ya que Jorge era un chico con mucha más labia que Andrés. Extrovertido y con mucho desparpajo, acabaría siendo víctima de su propio carácter unos años después. Las ganas de descubrir y de juntarse con los mayores le llevaron dispersarse un poco más de la cuenta. Quizás, por seguir en exceso sus impulsos. Algo que en el terreno de juego, en cambio, le daba un resultado excelente.

Troiteiro estaba cargado de talento, lo que le valió una cláusula de rescisión de 300 millones de pesetas que parecía garantizar un futuro profesional que nunca se llegó a materializar en Barcelona. Algunos técnicos incluso le consideraban mejor que Andrés. Jugaba en posiciones adelantadas, normalmente como mediapunta. Centrocampista ofensivo y creativo, tenía un papel similar al que Michael Laudrup había desarrollado en el Dream Team, aunque también podía jugar de extremo en banda izquierda gracias a su zurda prodigiosa. Si bien su generación nunca fue especialmente brillante, Jorge formaba una sociedad letal con Andrés. Cuando sus entrenadores optaban por poner a los dos cerca del área, hacían auténticas diabluras. Era muy difícil detenerlos. Pero el destino, siempre caprichoso, solamente le tenía reservado un papel especial al pequeño Andrés.

"A Iniesta le salvó su mentalidad", recuerda Benaiges para *El País*. "Era perfecto para el Barcelona por su perfil técnico e inteligencia. Hoy juega igual que cuando era un crío, pero no sabíamos si sería capaz de resistir. Se salvó él, por su cabeza. Aguantó, se fue adaptando y lo consiguió."

Sobre el terreno de juego, Iniesta cumplía a la perfección las funciones de 4, dorsal que lucía con orgullo en la espalda y posición simbólica en aquella época, por todo lo que representaba el mediocentro tipo del FC Barcelona. Probablemente, la figura más importante del esquema de juego *cruyffista*, que estaba totalmente implementado en el fútbol base azulgrana. Josep Guardiola era el gran referente en ese sentido. El jugador táctico, metódico y disciplinado que se encargaba de la construcción del juego, de su distribución. La prolongación del entrenador sobre el césped. Andrés tenía talento de sobra para jugar en posiciones más adelantadas por su desequilibrio y velocidad, pero los formadores de las categorías inferiores optaban por mantenerlo en una posición más retrasada. Ello le ayudó a desarrollar una privilegiada visión de juego que, en la actualidad, le ayuda a saber dónde está cada compañero en todo momento. A tomar la decisión más acertada.

Fueron muchas las cosas que Jorge y Andrés compartieron en aquellos años, pero por encima de todas había un sueño en común. A menudo, ambos se detenían junto a la ventana del dormitorio y contemplaban embelesados el coliseo azulgrana. Su mayor ilusión era pisar algún día el césped del Camp Nou con la elástica del Barcelona. "Jorge, ¿te imaginas llegar a jugar ahí algún día...?", preguntaba Andrés. "Algún día...", respondía su compañero.

El valor de la amistad

A finales de los noventa el apellido Iniesta ya era conocido, pero no por Andrés. Salió del anonimato gracias a uno de los roqueros más emblemáticos que ha deparado el panorama musical español. Roberto Iniesta, a sus 51 años, sigue siendo el alma máter de Extremoduro, con 12 discos a sus espaldas. *Robe*, como le conoce todo el mundo, es la cara opuesta de Andrés. Un tipo visceral, rebelde, indisciplinado y transgresor que ha coqueteado muchos años con las drogas. El artífice del denominado rock alternativo español y lo más parecido que hay en España a una estrella de rock de las de antes. *Robe* siempre hizo y deshizo cuanto y como quiso, sin miedo a las represalias. Sin embargo, y aunque parezca mentira, tiene algo en común con Andrés más allá de su apellido. Roberto Iniesta es una persona idolatrada, que ha sido el mejor en lo suyo. Único y genuino en su campo, la música, como lo es Andrés en el fútbol. Ambos son símbolos de este país, cada uno a su manera. El declive mediático de *Robe* fue llegando al tiempo que crecía la imagen de Andrés, el Iniesta más conocido del mundo desde hace años, no hay duda. La mayor similitud entre los dos, pese a las muchas diferencias que los alejan, es que siempre desprendieron un magnetismo especial.

Andrés Iniesta pasó cinco largos años en las categorías inferiores del FC Barcelona. Los mismos que Jorge Troiteiro. En ese tiempo, sus destinos aún iban de la mano. Mientras las exigencias del club rompían las ilusiones de decenas de jóvenes, los dos albaceteños de nacimiento iban superando todas las cribas. La suya no fue una generación de grandes éxitos colectivos, como lo sería posteriormente la de Messi, Cesc y Piqué, pero Andrés aprendió a tirar del carro. Además de sobresalir por su incuestionable talento, siempre destacó en la faceta colectiva. Pese a su timidez de base, cada año era votado por el resto de jugadores como el mejor compañero del equipo. Era generoso con los demás tanto dentro como fuera del terreno de juego, lo que le hizo ganarse el respeto de todos y agrandar el orgullo de su padre.

Durante las cuatro primeras temporadas, Andrés y Jorge habían sido inseparables en la cancha. El primer año en el infantil B a las órdenes de Ursicino López; en infantil A, bajo el mando de Roca; en cadete B estuvieron guiados por Ángel Pedraza, exjugador azulgrana que falleció en enero de 2011 víctima del cáncer; en cadete A los entrenó Pep Alomar, siempre ligado a Serra Ferrer. En ese lapso pasaron de ser los "enanos" a ser de los más veteranos de La Masía. Sobre todo entre los de su edad, donde la composición del equipo variaba mucho cada temporada. Algunos de sus compañeros durante aquella etapa fueron Jonathan Carril, delantero que en 2013 jugó como profesional en Hong Kong; Goran Maric, Andreu Guerao, Alfi Contech, Gilberto Braz de Oliveira o Rubén Martínez. Los dos últimos son especialmente destacables. Rubén fue el único futbolista de la generación de Andrés que, como él, llegó a debutar con el primer equipo del Barça. Aunque en su caso solamente fueron tres partidos oficiales en la campaña 2004-2005. Gilberto, temible artillero de origen brasileño, también se alojó en La Masía y compartió habitación con Iniesta cuando abandonaron el edificio antiguo para trasladarse a los dormitorios del propio Camp Nou.

Pero si hubo alguien que marcó especialmente la estancia de Andrés en La Masía, ese fue Jordi Mesalles. Nacido en el municipio de Seròs (Lleida), Mesalles fichó por el Barça en 1998 para reforzar el cadete B de Pedraza. Con un carácter algo más abierto que Andrés, Jordi no podía esconder la bondad que le caracterizaba y "Andrés solo se rodea de buenas personas", según ha explicado en alguna ocasión su padre, José Antonio. Enseguida conectaron.

A su llegada, Mesalles también pasó por la habitación de invitados en la que un día durmieron Iniesta y Troiteiro. Como ellos, coincidió con los nuevos, algunos chicos fichados para la sección de baloncesto y con niños más pequeños. La temprana llegada de Andrés y Jorge había creado escuela y se convirtió en algo habitual el fichaje de niños a los 11 y 12 años. Uno de los que con el tiempo siguió sus pasos fue el exsevillista Diego Capel, pero no aguantó el sufrimiento y rehízo las maletas para volver a casa.

Ilusionado y con ganas de integrarse cuanto antes, Mesalles optó por pasar su primer fin de semana en La Masía en lugar de regresar a su pueblo. El joven de Lleida sintió en sus carnes la soledad cuando la mayoría de chicos se fueron a pasar el fin de semana fuera. "La verdad es que me parecía algo exagerado el tema de la nostalgia y decidí quedarme el primer fin de semana aunque no teníamos partido, para irme adaptando al funcionamiento. Lo pasé bastante mal. Todo el mundo se fue y te quedabas con una sensación de soledad... como de desamparo. Tenía 14 años, era de pueblo y tampoco tenía edad para ir a dar vueltas por una ciudad como Barcelona. Esa experiencia me ayudó a entender lo mal que lo pasó Andrés, que llegó más pequeño y tenía a su familia mucho más lejos", recuerda el exfutbolista, actualmente fisioterapeuta.

Tras superar el preceptivo periodo de adaptación, a Mesalles también le llegó el momento de cambiar de dormitorio. La iniciativa fue de Pepe Reina. Un día, al verle en los vestuarios de los campos de entrenamiento, el arquero le dijo: "Jordi, tenemos que hablar". El joven cadete se temía lo peor: una novatada. Al llegar a La Masía, se dirigió a Pepe para ver qué quería y este fue muy claro: "Te vamos a fichar para nuestra habitación porque se ha quedado una cama libre, trae tus cosas". Confuso, Jordi se preguntaba si podían hacer el cambio de cuarto sin más, pero lo cierto es que Farrés daba mucha libertad en este sentido, siempre que las decisiones fuesen para bien de los chavales. Así que Jordi, obediente, asintió y procedió a hacer la mudanza. Allí se familiarizó con los ronquidos del propio Reina, y con el resto de compañeros de habitación, todos mayores que él, de la quinta del 82: Valdés, Arteta, Perona, Nano y Babangida. Este último era muy peculiar, siempre con aparatos de última tecnología, con los cascos de música puestos y con su carácter alegre y despreocupado. Aunque aquella vez se libró de la novatada, Jordi ya había sufrido alguna que otra. En una ocasión le empaparon de agua cuando estaba en ropa interior, le pringaron de espuma de afeitar y tuvo que cantar una canción. Risueño y positivo como era, siempre se lo tomó con el máximo sentido del humor. "Tanto te la podía hacer Reina como Valdés, eran muy cachondos los dos y guardo buena relación con ambos todavía", confiesa Mesalles. Curiosamente, en aquellos tiempos, los dos porteros tenían una fuerte rivalidad en el terreno de juego al ser de idéntica edad y competir por el mismo puesto. Sin embargo, su relación siempre fue buena y, pese a no ser amigos del alma, no existía ningún tipo de problema de convivencia. Mantenían un pique deportivo sano que se agravaba para ir con la selección, ya que cada club podía llevar solo a cuatro jugadores. Si iban dos porteros, solo podían ir dos jugadores de campo, así que normalmente se optaba porque solo fuese uno de los dos cancerberos, aunque ambos tenían nivel sobrado.

Jordi nunca llegó a compartir dormitorio con Andrés en la vieja Masía. Su relación se fue fortaleciendo gracias a las horas que pasaban entrenando juntos y a la convivencia en el edificio. Al fin y al cabo, las habitaciones estaban enganchadas. Mientras a Troiteiro le gustaba, cada vez más, salir a la calle a divertirse y desperdigarse, Mesalles e Iniesta eran más sedentarios. Disfrutaban de la compañía mutua y de la tranquilidad que se respiraba en Can Planes. Atrás quedaban los dos primeros años, de mucho sufrimiento, y *Andresito* estaba más curtido, con 14 y 15 años. Empezaba a hacerse un hombre. Mesalles conoció la cara más divertida de Andrés y también alguna de sus singularidades. "Era un enfermo del fútbol.

Lo sabía todo", remarca el de Lleida. Algo que también corrobora su padre: "Es capaz de hacerte la crónica de un partido de hace no sé cuántos años y decirte todos los nombres". Iniesta se aficionó a la Quiniela. Era el mejor pasatiempo para el fin de semana. Seguía las jornadas, estaba al corriente de los jugadores de todos los equipos y lo vivía con mucha intensidad, con la oreja pegada a la radio. Como la mayoría de los que juegan, Andrés gritaba de alegría cuando el equipo por el que había apostado marcaba un gol decisivo, y maldecía enfadado cuando se le torcía un resultado. Era un chico normal y corriente, con la virtud de poseer un talento innato para el fútbol, su gran pasión. Ahí residía su fortuna.

Junto a Jordi, encontró nuevas formas de pasar el tiempo, de compartir momentos de intimidad. Aprendió a valorar las cosas más pequeñas y a disfrutar de la sencillez. En parte, fruto de la humildad que siempre le había servido de fiel compañera. Cuando les enviaban algún regalo procedente de sus familias, embriagados de ilusión, se juntaban para abrirlo y descubrir el contenido. Quizás no era más que un paquete de galletas, un trozo de bizcocho, unas chucherías, una bolsa de patatas o unas simples almendras. Fuese lo que fuese, ellos lo recogían y guadaban como si de un tesoro se tratase. El día que no había buena comida, por ejemplo, se escaqueaban para picar algo de lo que habían recibido. La coliflor gratinada era uno de los platos que menos gustaba a los chavales, así que era fácil que el día que tocaba ese menú, se guardasen alguna de las reservas que les habían enviado sus padres.

En ocasiones, se quedaban hablando por las noches en el pasillo del piso superior. Al ser de habitaciones diferentes, se encontraban en un punto intermedio. Teóricamente, no podían hacerlo, pero *Ferri* les permitía compartir algunos ratos de intimidad, siempre y cuando no hiciesen ruido ni molestasen a nadie. Aquellos momentos eran muy importantes para Andrés. Sensible e introvertido, necesitaba expresar lo que sentía y el buen carácter de Jordi le ayudaba a sentirse comprendido.

La música también fue un nexo importante de unión entre Andrés y Jordi. Aficionados a Manolo García, alguna vez se daba un garbeo hasta El Corte Inglés y compraban uno de sus discos. O bien, de El Último de la Fila, o también del cantante en solitario. Lo escuchaban y memorizaban sus fabulosas letras juntos. Con el tiempo, Andrés se aficionó mucho a las melodías de sus vecinos de Sant Feliu de Llobregat, David y José Muñoz, creadores del grupo Estopa. Rumba catalana con bases roqueras y letras tan poéticas cuanto callejeras que llegaron al alma de Andrés. Especialmente a través de la mejor canción que han compuesto nunca, según palabras de los propios Estopa: *Como Camarón*. Cuando se compraban un CD o cualquier cosa de valor, solían marcarlo. Era importante, puesto que en La Masía estaba muy inculcada la filosofía de compartir. Todo era de todos y, si te descuidabas, no volvías a ver el disco. En una ocasión, se compraron una radio a medias. La misma que el *Almendra* o *Cabeza*, como llama Jordi a Andrés, utilizaba para seguir la jornada de Liga y actualizar la Quiniela. En la parte posterior de la misma, grabaron la siguiente inscripción: "Andrés Iniesta, Fuentealbilla. Jordi Mesalles, Seròs".

Apenas coincidieron tres años en La Masía. Jordi estuvo seis temporadas en el Barça (la última en el Barça C), pero recuerda perfectamente que en su tercer año allí, en el juvenil B, Andrés hizo una progresión fulgurante. En un mismo año pasó de puntillas por el juvenil A y llegó hasta el Barça B. Ese tercer año, el quinto de Andrés, fueron compañeros de habitación por única vez, en las instalaciones del Camp Nou, junto a Gilberto. Sin embargo, fueron unos años muy intensos, de convivencia las 24 horas del día. "Se forjan amistades muy fuertes, porque lo compartes todo", explica Mesalles con cariño, feliz de que se mantenga la buena relación.

Al día con los estudios

El colegio León XIII también fue testigo del carácter de Iniesta. En el Lluís Vives solamente estudió un curso. En su segundo año en La Masía, Andrés y Jorge fueron inscritos en la escuela de la avenida Tibidabo, el antiguo SIL. Un centro de enseñanza pensado especialmente para deportistas de elite, que se adaptaba perfectamente a las pretensiones y horarios del Barça. Los futuribles de azulgrana, unos 30 chavales, acudían al centro solamente por la mañana, hasta el mediodía. Iban todos juntos en el autobús número 75, que lo cogían en la parada del hotel Princesa Sofía, en la Diagonal de Barcelona. La escuela también tenía un turno de tarde, de cuatro a diez de la noche, diseñado para otros deportistas como los de la residencia Blume. Allí coincidieron con tenistas, atletas y nadadores.

Uno de los maestros más significativos para Andrés durante su estancia allí fue Alejandro Juárez, especializado en lengua y literatura castellana. Desde tercero de ESO hasta primero de bachillerato, Juárez se encargó de guiar al joven *Andresín*, como le llamaba él, en su lengua materna. "Era un buen estudiante, responsable y aplicado. Los deportistas tiene el hándicap de que no disponen del tiempo de un alumno normal, pero no suspendía ninguna materia. Si hubiera sido un alumno normal, se hubiera movido en una media de notable para arriba", explica el señor Juárez. Iniesta se ganó la fama de trabajador en el colegio, aprovechaba mucho las clases porque luego sabía que no tenía tiempo para dedicarse a fondo. En La Masía tenían una sala especialmente preparada para que los chicos estudiasen e hiciesen los deberes: la biblioteca. Allí pasaban algunas horas por las tardes, antes de ir a los entrenamientos. Rubén Bonastre, coordinador pedagógico de La Masía, explica que "a veces se angustiaba mucho porque veía que no podía con todo, lo quería llevar todo al día". Algo que confirma Carles Folguera, que terminaría siendo director del centro: "Quería combinarlo todo y hacerlo en menos tiempo del previsto si era posible. 'Tranquilo, Andrés. Piensa que estás en el primer equipo del Barça, que eres profesional. Lo que tienes que priorizar en este momento es tu carrera profesional', le dije. Andrés era el grado máximo de humildad. Quería hacerlo todo, incluso cosas que en ese momento quizás no eran tan prioritarias".

El profesor Juárez recuerda como Andrés siempre se juntaba con Jordi Mesalles. Eran chicos de un perfil muy parecido y se hicieron inseparables. Jorge Troiteiro, más disperso y menos estudioso, también se movía con ellos y con otro chico de La Masía dos años mayor, Julio César Jordan. En la misma clase coincidían con sus compañeros de equipo Jonathan Carril y Rubén Martínez, entre otros.

En clase era uno más. Su timidez le ayudaba a pasar muy desapercibido. "Era sociable, pero muy introvertido, la discreción personificada", recalca Juárez. No era el típico alumno que alza la mano para preguntar en clase, ni tampoco de los que incordia con el compañero de al lado. Atento, el genio siempre se mostraba discreto, en un segundo plano. Si tenía que responder algo, lo hacía, pero a petición del profesor, no a iniciativa propia. Normalmente no era él quien se dirigía a los demás chicos ni quien iniciaba la conversación, sino que era al revés. A menos que tuviese mucha confianza, como con Jordi y Jorge. Y cuando le solicitaban para cualquier cosa, siempre contestaba con una sonrisa, amable. Nunca tenía problemas con nadie, a pesar de que junto con Troiteiro era de los más enclenques. Tampoco tenía capacidad de liderazgo, no aglutinaba a los chicos a su alrededor. Iba a lo suyo, pero siempre fue un chico apreciado en clase. "Nunca hubo nadie que tuviese una palabra más alta que otra con Andrés, lo querían todos", zanja el maestro.

Andrés se fue sacando los cursos sin problemas, con notas medias de bien alto y notable bajo (entre el 6 y el 7). Siempre ha tenido mucha capacidad de concentración, lo que le ayudaba a no tener que dedicar tanto tiempo como otros. "No éramos unos *cracks* como estudiantes pero hacíamos nuestro trabajo. Andrés, por poco que se pusiera, lo conseguía. No necesitaba muchas horas, le bastaba la mitad de tiempo que a mí. Se encerraba en sus cosas y se le quedaba todo. Lo difícil era ponerse en un sitio donde todo giraba alrededor del fútbol, porque el ambiente te incitaba a dejarlo para más tarde", valora Mesalles. Con el catalán no tuvo excesivas dificultades, y con el tiempo demostró que se puede expresar casi a la perfección en la lengua de la tierra que le acogió. Más se le atragantaba el inglés, un hueso duro de roer para Iniesta. Aunque lo superaba, es una de sus asignaturas pendientes en la actualidad, ya que no lo utiliza para nada.

Las problemáticas se evidenciaron en primero de bachillerato, a final de curso. Cada vez más exigido por el club, Andrés notaba la falta de tiempo para preparar los exámenes. Seguía sacando todas las asignaturas, pero más apurado. De cara al curso siguiente, tomó la decisión de salir del colegio para trasladarse a la academia Unitec. Allí le daban más facilidades organizativas para poder compaginar sus estudios con el fútbol, y es que fue la época en la que empezó a llamarlo el primer equipo. Estaba a punto de hacer realidad su gran sueño, firmar un contrato como profesional.

Tras superar los dos cursos del bachillerato social con solvencia, llegó la hora de la selectividad. En aquella ocasión no tuvo el pellizco de suerte que tantas veces le había acompañado y no obtuvo las notas necesarias para poder estudiar INEFC. Pero supo adoptar una actitud inteligente, según Juárez. En lugar de dedicar otro año entero a preparar la selectividad, se apuntó a un grado superior de educación física y deporte que, una vez terminado, le daba acceso a la universidad. También en los estudios consiguió su objetivo, que era entrar a la carrera de INEFC. Aunque sus compromisos con el Barça, ya instalado en el primer equipo, se lo complicaban mucho. No era fácil compaginar una carrera con un partido entre semana, otro durante el fin de semana, y la exigencia física y mediática que comportaba jugar en la elite. Pasó por la universidad privada, probó la pública y regresó a la privada, que le daba más facilidades. Han pasado diez años y todavía no ha terminado. Pero, teniendo en cuenta la constancia que le caracteriza, no cabe duda de que tarde o temprano lo conseguirá.

Lo cierto es que fueron buenos años los que pasó en el colegio León XIII. Cada vez quedaban más lejos sus tormentosas noches en la litera de abajo y las lágrimas derramadas pensando en el cariño de la *Mari*, de quien heredó su característico blanco de piel. Sus padres siempre tuvieron buena relación con sus profesores en el colegio. Juárez los recuerda como un factor clave en el desarrollo de Andrés, gracias al excelente núcleo familiar que tenían, siempre muy unidos. De hecho, la hermana de Andrés, Maribel, también pasó por la misma escuela cuando la familia del futbolista se instaló en Barcelona. Dos años menor que Andrés, el maestro la define como una extraordinaria muchacha: "A Maribel la traté muchísimo porque, además de lengua, daba latín conmigo, que eran cuatro horas más a la semana. Ella era mucho más extrovertida que Andrés, más efusiva. Me llamaba cada año. Era una chica cariñosa, humilde y muy buena persona, aunque los estudios no le interesaban demasiado". Siendo Andrés mayor de edad, ya fuera de la escuela, había ido a recogerla alguna vez en coche a la salida del colegio, ya que fue en esa época cuando se sacó el carné de conducir, a las órdenes de Julio, el profesor de autoescuela que tenían los chicos de La Masía. Aunque Andrés nunca desempeñó la función de hermano mayor protector con ella, también están unidos por una excelente relación. Maribel se dedicó a la peluquería y actualmente trabaja en una asesoría de contabilidad y vive con su pareja, que es comercial de Bodega Iniesta, en la misma residencia que sus padres, en Sant Feliu.

Al igual que Iniesta, Troiteiro y Mesalles, pasaron otros muchos jóvenes talentos del FC Barcelona por el colegio León XIII, donde tuvieron maestros exigentes como Alberto Müller (filosofía), Mari Àngels Torredemer (matemáticas), Ana Guiu (inglés), Emilia Agudo (catalán) o Xavier Botella (historia). Varias de aquellas promesas a las que educaron han jugado en el primer equipo del Barça con Iniesta. El más destacable, porque a día de hoy es el mejor jugador del mundo, Lionel Messi. Llegó a La Masía con 13 años, aunque no llegó a vivir en ella. Se instaló con sus padres en Barcelona. De esa forma le evitaron un sufrimiento que podría haber sido peor al que vivió Andrés. Si el manchego era introvertido, la *Pulga* era la introversión en su máxima expresión. En clase, siempre se sentaba en la última fila, esquinado, al lado del armario. De tan pequeño que era, los profesores a duras penas podían verle la cara desde la pizarra. Cuando le preguntaban algo, alzaba su temblorosa mano en la lejanía para hacerse notar, pero ni con esas. A menudo utilizaba a una compañera que se sentaba a su lado a modo de traductora. No es que no entendiese el idioma, es que era tan tímido que le costaba mucho expresarse, sentía vergüenza. La chica le ayudaba y, a veces, directamente hablaba por él. Nunca fue un buen estudiante. Toda su pasión la dirigía al balón. En una ocasión, y ante un examen de diez preguntas, tan solo contestó media cuestión. No terminó cuarto de ESO.

Víctor Valdés tenía muchas más aptitudes de cara a los estudios, pero tampoco le interesaban en exceso. Los

Iniesta y su buen amigo Puyol levantan la segunda
Champions de la historia del Barça en París,
el 17 de mayo de 2006, tras ganar al Arsenal (2-1).

'Andresín' en un partido de infantiles durante la temporada 1996-1997, en su primer año con la camiseta del Barça.

Andrés Iniesta y Fernando Torres forjaron una buena amistad en las categorías inferiores de la selección española.

Iniesta fue elegido miembro del equipo de las estrellas de la Copa Mundial de Fútbol Juvenil de 2003, celebrada en los Emiratos Árabes Unidos.

Iniesta celebra un gol anotado en las categorías inferiores de la selección española.

Andrés Iniesta junto a Víctor Valdés, uno de sus mejores amigos en el vestuario, con la Supercopa de Europa de 2011 en sus manos.

Postal de Andrés Iniesta dedicada a su profesor de lengua castellana Alejandro Juárez en el colegio León XIII de Barcelona.

Frank Rijkaard tuvo la responsabilidad de gestionar el crecimiento de Iniesta durante sus primeros años en el primer equipo del Barça.

De la mano de Pep Guardiola, Iniesta alcanzó su mejor nivel como futbolista. Juntos conquistaron 14 títulos en cuatro temporadas.

Iniesta levanta su segunda 'orejuda' y la tercera Champions del FC Barcelona en Roma, tras vencer al Manchester United (2-0) el 27 de mayo de 2009.

profesores solían decirle que aplicaba la ley del mínimo esfuerzo, es decir, lo justo para aprobar la asignatura, ni más ni menos. ¿Para qué iba a dedicarle más tiempo si con un 5 raspado ya cumplía su objetivo? Valdés, que también era introvertido, nunca tuvo problemas en la escuela, pero decidió abandonarla antes de tiempo porque le fastidiaba que le controlasen. Alguna vez puntual había faltado a clase, y la dirección del centro se encargaba de avisar a sus padres. Estos, intransigentes y volcados en la educación de sus tres hijos, actuaban en consecuencia. Los profesores definen a Víctor como un chico especial, de ideas muy claras. Su único objetivo era triunfar en el Barça y lo que no le interesaba, como los estudios, lo apartó de su camino. Tenía un punto de rebeldía, como demostraría también en el club, y no quiso hacer segundo de bachillerato.

Cesc Fàbregas también estudió en el mismo colegio. El de Arenys siempre tuvo un aire despistado. En una ocasión especial, Reina lo definió públicamente como un "empanado", aunque a él no le gusta mucho que lo llamen así. Quizás, Pepe exageraba. La palabra era "despistado". Los estudios le interesaban lo justo, su mentalidad era parecida a la de Valdés, en el sentido de aprobar y poco más. De carácter muy alegre, trataba de pasarlo bien en el colegio, pero sin incordiar. Cesc estudió hasta cuarto de ESO, cuando se metió el Arsenal de por medio y se trasladó a Londres. Volvió a Barcelona varios años después, cuando el Barça apostó por su regreso y pagó 35 millones de euros. Tras dos años en el primer equipo azulgrana sin acabar de brillar, la temporada 2013-2014 se presenta como una prueba de fuego para él.

En el periodo que Andrés pasó entre las paredes del León XIII, cuando todavía era cadete, le llegó una de las mejores noticias deportivas: la primera convocatoria con la selección española. Tenía 15 años, y el Barça fue el encargado de notificarle la buena nueva a través de un documento en el que se explicaba en qué iba a consistir la jornada. Se desplazaron concentrados a Madrid un lunes y el martes viajaron a Villafranca de los Barros (Badajoz), donde se disputaría el partido. Bélgica fue el rival elegido y recibió un duro correctivo: 4-1. Andrés contó con el apoyo de Fuentealbilla, desde donde salió un autobús con toda su familia y amigos para ir a verle. Cuando sonaba el himno de España, el manchego reparó en que en la grada había una enorme pancarta dedicada a él: "Andrés estamos contigo. Fuentealbilla". Todo era nuevo, incluso los compañeros. La mayoría convocados por primera vez. Coincidió con jugadores del Madrid, del Espanyol, del Celta y del Racing, entre otros equipos de Primera. Los entrenadores, Santiesteban y José Armando Ufarte, les hacían explicar sus experiencias en sus respectivos clubes, para conocerse mejor. Enseguida se hizo amigo de Carlos García, de la cantera del Espanyol. Un defensa que se ha ganado la vida como profesional y que terminó la temporada 2012-2013 a las órdenes del Maccabi Tel Aviv (Israel). "El día del debut fue especial", recordaba Iniesta más de diez años después.

Ídolos y croquetas

La croqueta es uno de los mayores manjares de la gastronomía española. De origen francés, esta peculiar fritura puede ser de todas las clases y tamaños. Pero, sobre todo, de muchos sabores: jamón, cocido, pollo, bacalao, marisco, setas... Por suerte para el ciudadano español de a pie, las hay muy buenas en cualquier rincón del país. Aunque no se puede hablar sobre croquetas y pasar por alto las delicias de jamón que se pueden probar en el asador El Ciprés de Aranda de Duero (Burgos). Si no son las mejores de España, seguro que están en el podio. En Barcelona, La Bodegueta de Rambla Catalunya presume del sabor de su magnífica croqueta, muy demandada. Para encontrar una de pescado a la altura, hay que desplazarse hasta el Peixerot, preferiblemente el de Vilanova i la Geltrú, a pie de playa. Pero quizás, las más comunes de todas sean las de pollo. Al menos, pasan por ser las más caseras. Las típicas de la abuela. En el caso de Andrés Iniesta, la especialista es su propia madre, cuyas croquetas de pollo de primer nivel tienen su origen en las mañanas y tardes que se pasó cocinando en el bar Luján de Fuentealbilla, junto a su madre, durante 20 largos años.

Aunque a Iniesta le gustan las croquetas de la *Mari*, siempre ha dicho que su comida favorita es el pollo con patatas. También el de su madre, por supuesto. A día de hoy, que se sepa, todavía no ha cambiado de opinión. Se sigue decantando por lo sencillo y más efectivo. Pero la *Mari* tiene una colección de virtudes culinarias dignas de mención. Sus patatas típicas con ajo y huevo son de otro mundo, así como su fabuloso arroz al horno. Realmente, Andrés no es un tipo especial para las comidas. Se conforma con cualquier cosa, pero si lo ha cocinado la *Mari*, mucho mejor. Así lo explica su padre: "La comida que le gusta es la que hace su madre, que siempre ha hecho lo que les ha gustado a ellos. Si tocan lentejas, come lentejas, y si hay habichuelas, pues habichuelas. No es exigente con la comida. Da gusto ir a comer con él por eso, porque no da problemas. De lo que haya va a comer. Como en el pueblo, que venía a comer a la hora y lo que había en la mesa se lo comía, lo que tocase". Pero el caso es que "las croquetas las hace muy buenas".

Jordi Mesalles no tiene el placer de haberlas probado todavía, pero está eternamente agradecido a la *Mari* por haberle hecho de segunda madre. La familia de Andrés le pudo dar cobijo a raíz de que Iniesta firmó su primer contrato profesional y todos se trasladaron a Barcelona. Jordi, que tenía a su familia en Lleida, les recordaba lo mal que lo pasó Andrés, salvando las diferencias de edad. "La *Mari* siempre me ha hecho un sitio en su casa, siempre me ha dado de comer. Tuve mucha suerte cuando me fui de casa porque me he encontrado con más madres aquí. Me trataron como uno más de la familia. Son muy corrientes, te lo dan todo sin ningún tipo de condición", rememora

Mesalles. En ocasiones, cuando se lo encontraba después de un tiempo, la *Mari* le decía cariñosamente: "Oye tú, que no me vienes a ver"; y cuando iba a comer siempre le preguntaba qué quería. Jordi, con gran sentido del humor, contestaba: "Lo que sea *Mari*, mientras me lo hagas tú y no tu hijo". Parece que el tema de cocinar, Iniesta todavía no lo lleva muy por la mano. Eso sí, Jordi coincide con José Antonio: "A Andrés no le pongas un plato superelaborado, porque se conforma con unos macarrones con tomate o algo muy básico. No es complejo para la comida. Igual de simple que es en la vida, lo es a la hora de comer".

Andrés también disfruta mucho de la repostería que prepara Marta Ortiz, la hermana de su mujer, Anna. Sin embargo, en el terreno de juego aboga más por la *croqueta*. No es que Iniesta coma croquetas en mitad de los partidos. Nada más lejos de la realidad. Todo tiene una explicación y unos orígenes. En este caso es dable sacar a relucir uno de sus ídolos de infancia, Michael Laudrup. Un enorme póster suyo copaba una de las paredes de la habitación de Andrés, en Fuentealbilla. El danés, probablemente el jugador más mágico del Dream Team de Cruyff, que maravilló al mundo entero a principios de los noventa, fue uno de los referentes de Iniesta. "Era el maestro de las asistencias. No exagero si digo que he visto centenares de imágenes suyas. Aún las miro de vez en cuando. Me inspiran. Son una delicia. Todos crecemos intentando imitar algún referente, y yo siempre quise imitar a Laudrup", reconoce Andrés en su libro. Laudrup era el *dream man* del Dream Team, el hombre que jugaba con frac. Además de modelo a seguir en el apartado pasador, el danés fue el impulsor y mayor exponente de la *croqueta*. Ejecutaba ese regate como nadie. Hasta que llegó Andrés, el único capaz de hacerlo igual.

Hay que tener en cuenta que la croqueta gastronómica suscita dudas en cuanto a la siguiente cuestión: nunca queda claro si es más importante el rebozado o la bechamel y su condimento interior. La combinación de ambas en su justa medida culmina con la explosión de sabor ideal. En el fútbol, la duda es inexistente. La clave está en el rebozado. Y Laudrup era el mejor rebozando el balón en el césped, de derecha a izquierda, para llevárselo por donde el defensa menos se lo esperaba. Andrés se ha convertido en su digno sucesor. Capaz de lograr el deleite pleno del aficionado cuando controla con su inigualable destreza el balón, lo acaricia con su pierna buena, la derecha, y lo reboza a una velocidad endiablada rumbo a la izquierda. Un ligero golpeo hacia adelante y una salida explosiva para despedirse de cualquier defensor, que suele quedarse atónito siempre que Andrés ejecuta esta acción.

Pese a que sus destellos de clase y su recital de controles son interminables, la *croqueta* es el regate más emblemático de Andrés. Tanto lo utiliza en el medio del campo para zafarse de una asfixiante presión, como en boca de gol para dejar sentado al portero y marcar a placer. En los últimos tiempos, cuando con más maestría lo ha empleado ha sido a ras de la línea de fondo, saliendo por el lado del defensa por donde parecía imposible pasar para servir un balón en bandeja al goleador. David Villa, un buen amigo suyo, se benefició de esta maravilla de Andrés en el Camp Nou contra el Celta a finales de 2012 en una acción magistral. No fue el único. Sin duda, un gesto tan delicioso como el sabor de la mejor croqueta. Entre sus demás filigranas y frivolidades destaca su excelente habilidad para realizar caños, autopases y, alguna vez, la denominada *cola de vaca* de Romario.

Como amante y estudioso del fútbol que ha sido Iniesta desde pequeño, tenía muchos otros ídolos, además de Laudrup. Y no todos eran del Barça. Durante su etapa como jugador de las categorías inferiores, Andrés no tenía problemas en admitir el goce que le producía ver jugar a un madridista de pura cepa como Zinedine Zidane. A pesar de su poderío físico, el francés era todo elegancia, finura con el balón en los pies. Desde entonces, al único que le han atribuido un nivel semejante de clase sobre un terreno de juego es al propio Andrés. También sentía admiración por otro francés que más tarde sería compañero suyo en el Barça, Thierry Henry. Aunque era un jugador mucho más goleador que Andrés, *Titi* desprendía una categoría envidiable sobre el césped. El Camp Nou solo pudo disfrutar de sus últimos coletazos, pero el 14 azulgrana se ha ganado un lugar en la historia de la entidad como miembro de la delantera del triplete, junto a Messi y Eto'o.

A nivel de espejo en el que mirarse, Iniesta tuvo otros referentes mucho más cercanos en La Masía. Uno de ellos es su mentor todavía, Xavi Hernández. El 6 azulgrana es la batuta del Barça y la selección española, el hombre que maneja los tempos del partido y que controla periféricamente la posición de todos sus compañeros para brindar el pase más acertado. Andrés, de vocación más ofensiva que Xavi, parece más que nunca abocado a ser su relevo cuando cuelgue las botas. Sobre todo, después de la salida del club del que sonaba como principal candidato, Thiago Alcántara, y teniendo en cuenta que Cesc Fàbregas no termina de cumplir con las condiciones necesarias para asumir ese rol más organizador y menos atacante. El otro genio en que se fijaba el pequeño Andrés era Iván de la Peña. El cántabro no llegó a triunfar en Can Barça por desavenencias con el exigente Louis van Gaal. Pero demostró sobradamente su calidad en otros clubes, como el RCD Espanyol. Iniesta y su amigo Troiteiro le conocieron de niños en La Masía. De la Peña los iba a ver porque Troiteiro compartía representante —Fermín Gutiérrez— con Raúl González Blanco, que por aquel entonces era un gran amigo de De la Peña.

El otro póster que decoraba la pared de su cuarto en Fuentealbilla era de un futbolista que acabaría siendo de vital importancia en la carrera de Andrés: Josep Guardiola. El de Santpedor era el director de orquesta, al que siempre tuvo que imitar en el fútbol base blaugrana. Sin tener los destellos de Laudrup, podía presumir de una fabulosa precisión para realizar los pases y, sobre todo, de carácter. A pesar de su prematura aparición en el Dream Team, no tardó en asumir galones. Siempre tuvo dotes de líder. Algo que Andrés nunca ha demostrado en demasía, pero que admiraba y adquirió con el tiempo. Guardiola hizo la primera aparición personal en la vida de Andrés en 1999, el año del centenario del club. No sería la última. Tras verlo en acción, el de Santpedor comentó emocionado con los jugadores que por entonces poblaban el primer equipo del Barça que había visto jugar a un chiquillo que leía el juego mejor que él. "Tendríais que verlo jugar", puntualizó.

Iniesta era el líder silencioso del cadete B que entrenaba Ángel Pedraza. Aquel año asumió la responsabilidad y presentó sus credenciales como aspirante a jugar algún día con los mayores. En julio pusieron el colofón a una buena temporada con la disputa de la Nike Premier Cup 1999 en Barcelona, un torneo mundial de clubes en el que iban a participar 16 equipos de todo el mundo, entre ellos el Real Madrid. El campeonato se celebró precisamente al final de la temporada en la que llegó Mesalles al Barça, que actuaba como interior izquierdo, lo que entonces denominaban de 8. Iniesta jugaba más retrasado, como 4, en un esquema que todavía seguía los postulados *cruyffistas* y se basaba en el sistema 3-4-3. Troiteiro era el mediapunta del equipo y, por delante, tenía a Carril y Gilberto. El brasileño cuajó una temporada sensacional, con muchos goles, y durante el torneo su presencia de cara a portería fue clave.

El equipo revelación del torneo fue Rosario Central (Argentina). Sin estar entre los favoritos, alcanzaron la final a pesar de que, en segunda ronda de la liguilla, habían caído contra el propio Barça por un contundente 5-0. Pasaron como segundos de grupo y eliminaron al Madrid en cuartos de final, por penaltis, tras empatar a cero. En semifinales también firmaron tablas, esta vez a un gol contra el América (México) y volvieron a superar la criba de las penas máximas. El Barça había tenido un camino más sólido hasta la final: 1-0 al Dong Book School (Hong Kong); 5-0 a Rosario; 1-1 contra La Jolla Normands (EE UU) en un duelo intrascendente para los locales; 3-2 al Verdy Kawasaki (Japón) en cuartos de final y 2-0 al Vitoria (Brasil) en semifinales.

La final, que se jugó en el Camp Nou cumpliendo en parte la ilusión de Iniesta y Troiteiro de pisar su césped como futbolistas, terminó con empate a uno tras los 90 minutos reglamentarios. Andrés había participado en el primer gol de los suyos con una soberbia asistencia, después de recorrerse medio campo con el balón. El campeón iba a decidirse por el clásico sistema del gol de oro. El que primero marcase, se hacía con el trofeo.

La tribuna del coliseo azulgrana estaba repleta de gente. Entonces, Andrés se vistió de héroe. El destino volvió a ponerse de su lado y le cedió el protagonismo en un momento crucial. Con una velocidad endiablada, entró desde la línea de atrás hacia el área para deshacer el embudo que se había ocasionado en la pequeña. El balón, falto de oxígeno, rodó hasta su posición y, tal y como llegaba, desató un potente zapatazo, seco, que perforó la meta de los rosarinos dando la victoria al Barça. Todo el equipo se convirtió en una piña enorme alrededor de la figura de Andrés, que fue escogido mejor jugador del torneo. En el vestuario, sus compañeros corearon su nombre.

Allí estaba Pep Guardiola. Su ídolo de infancia junto a Laudrup. El verdadero 4 del Barça. Precisamente, Pep fue el encargado de entregarle un trofeo que supuso un punto de inflexión en la carrera de Andrés, como el torneo de Brunete en su día. Cansado, pero radiante, Iniesta cogió el premio de manos de Guardiola. No sin antes escuchar las palabras que le dedicó mientras le estrechaba la mano: "En unos años te veré jugar desde la tribuna". No se equivocaba.

La negociación

El FC Barcelona estuvo dirigido por el rígido Van Gaal desde 1997. El técnico holandés, procedente de la escuela del Ajax pero de estilo antagónico al de Cruyff, fue uno de los técnicos más resultadistas de la historia reciente del club. Sin la belleza en el juego que caracterizaba al *Flaco*, pero siempre al ataque, el míster de la libreta conquistó dos ligas consecutivas, en su debut y al año siguiente, el del centenario. Además, en su primera temporada también firmó una Copa del Rey. Pero nunca llegó a conectar ni con la afición ni con la prensa. Después de su tercera campaña, en blanco y contra las cuerdas, Van Gaal abandonó el club aunque todavía le quedaba un año de contrato. Su marcha coincidió con la del presidente Josep Lluís Núñez, después de 22 años al mando. Núñez sería reemplazado por su vicepresidente y mano derecha, Joan Gaspart, tras ganar las pertinentes elecciones con 25.181 votos a favor, el 54,87 por ciento del total.

En aquellos tres años de Van Gaal, se instalaron en el primer equipo Xavi Hernández y Carles Puyol. El de la Pobla de Segur lo hizo un año más tarde, y no pudo sumar a su currículo la Liga del centenario, que sí que figura en el de Xavi. El centrocampista de Terrassa posee el palmarés más extenso de la historia del fútbol español, con 24 títulos. El segundo es Andrés Iniesta, con 23. Al manchego solo le falta aquella famosa liga del 99, precisamente del mismo año en que protagonizó la conquista de la Nike Cup como cadete.

Gaspart se proclamó presidente del Barça en junio de 2000. En esa campaña, Andrés se estrenó como juvenil B a las órdenes de su estimado Albert Benaiges. Sin embargo, duró poco en su equipo. Andrés iba disparado hacia la cima y en la misma temporada pasó al juvenil A y se incorporó de forma habitual al Barça B, bajo la tutela de Josep María Gonzalvo. Fue el curso en que se separaron los caminos de Iniesta y Troiteiro, que a lo largo de cuatro años habían unido sus magníficas cualidades con un mismo fin. Jorge no avanzó al ritmo de Andrés y, a final de temporada, tomó la decisión de salir del Barça y fichar por el Atlético de Madrid. Sus cualidades eran innegables, pero no tuvo la paciencia para esperar su momento. Tenía la sensación de que el sueño del primer equipo se hacía inviable y apostó por estar más cerca de su tierra. Desde aquel momento, Jorge se convirtió en un trotamundos de los terrenos de juego. Desarrolló su carrera deportiva a lo largo de la Segunda División B, en clubes como su Mérida, el Linares, el Melilla, el Lucena, el Villanovense, el Extremadura y el Burgos. Siempre aplaudieron su talento allá adonde fue, y puede presumir de haberse ganado la vida solo con el fútbol. La temporada 2012-2013 la ha jugado en la primera división de Chipre, pero, tras algunos retrasos en los pagos, ha optado por volver a España y fichar por el Mérida de nuevo, donde más cariño le profesan. Siempre que a Andrés le preguntan quién es el mejor jugador que ha visto y que no ha triunfado, responde lo mismo: Jorge Troiteiro.

Andresín seguía obcecado en cumplir su sueño. Llegó a jugar varios partidos con el Barça B y, de cara a la siguiente temporada, la idea del club era convertirlo en uno de los fijos del filial. Antes, recibió un premio inesperado. Serra Ferrer, uno de los miembros del club que más de cerca había seguido la evolución de Andrés, fue nombrado entrenador del primer equipo con el inicio del mandato de Gaspart y le hizo un regalo especial: su primera convocatoria a un entrenamiento con el primer equipo. Carles Naval fue el encargado de avisarle. Andrés, que apenas tenía 16 años, al principio pensó que era una broma. Pero no tardó en llamar repleto de emoción a sus padres para contarles la buena nueva. Llegado el día, el canterano manchego fue el primero en presentarse en la "barrera", la entrada al Camp Nou. Al preguntar al guardia de seguridad, ambos decidieron que era mejor esperar a que llegase alguien del primer equipo. Andrés no sabía cómo bajar a los vestuarios y el guardia quizás no se creía del todo que un chico tan menudo se fuese a ejercitar con las estrellas del club. En esas estaban cuando llegó Luis Enrique, uno de los buques insignia del combinado. El asturiano tomó las riendas y se llevó a Iniesta consigo, le hizo de Cicerone en su primer entrenamiento con los "mayores". Fue una experiencia inolvidable para Andrés, en una temporada brillante para él pero que no terminó demasiado bien para los intereses de la entidad. Sin ganar ningún título, Serra Ferrer fue destituido en abril de 2001. Mismo año y mismo mes en que Guardiola anunció que abandonaba el club de su vida, al que ya no volvería como jugador. Preguntado en aquel momento, Serra Ferrer no eludió los elogios a Andrés: "Era sencillo, humilde, solidario, responsable... Yo disfruté más que él, tenía un gran equilibrio emocional, algo especial, sabía relativizar aparentemente las cosas. Era muy inteligente, sabía escuchar, no se perdía detalles. Quise darle un premio por su valor como persona".

La guinda del pastel al buen año de Iniesta se puso entre abril y mayo. *Andresito* fue convocado con la selección española a la Eurocopa sub-16 que se jugaba en Inglaterra. Allí formó una conexión letal con la perla de la cantera del Atlético de Madrid, Fernando Torres, que empezaba a explotar. En primera ronda arrollaron sin piedad a Rumanía (3-0) y Bélgica (5-0). Sin embargo, la fortuna se cebó con el centrocampista azulgrana, que sufrió una fea entrada de un jugador alemán y tuvo que abandonar el campo en camilla a diez minutos para el final. Como resultado, un esguince de rodilla y un edema óseo. Andrés volvió de urgencia a Barcelona y no pudo terminar el torneo. Su padre, al ver las imágenes por televisión, pensó: "Me lo han partido por la mitad". Sus compañeros lo tuvieron muy presente, llegaron hasta la final y obtuvieron la victoria contra Francia (1-0). *El Niño* marcó el único tanto de la final y se proclamó mejor jugador del torneo y máximo goleador. Tras conseguir el gol, levantó su elástica azul y lució una camiseta blanca en la que se podía leer: "Andrés y Gorka, ¡¡¡va por vosotros!!!". Gorka Larrea también salió dañado de un encuentro y se quedó sin disfrutar de la fase final. Otro de sus compañeros y mejores amigos del equipo, Carlos García, se encargó de enviarle la medalla de oro. Andrés, que de no ser por la lesión seguramente hubiese ganado el premio a mejor jugador del torneo, aún guarda la medalla y la camiseta firmada por todo el equipo. En el libro *Andrés Iniesta, ocho grandes historias*, Torres relata con cariño lo importante que era Iniesta para el equipo: "Andrés era nuestro alma, el pilar del equipo, un futbolista diferente, único. Según el día que tuviera, decidía hacia dónde se manejaba el partido. Era un líder humilde, respetado por todos, algo que no siempre ocurre en los colectivos".

Sin lugar a dudas, la temporada 2000-2001 fue clave en la trayectoria de Andrés. Y el verano que tenía por delante sería decisivo para su futuro. Entonces, el representante de Andrés era su padre, que se dejaba aconsejar por un holandés que parecía tener más bagaje en cuestiones contractuales. Con el tiempo, acabarían contratando los servicios de Ramón Sostres, para temas jurídicos, y de Pere Guardiola, el hermano de Pep, para los aspectos de *marketing*. Pero en aquellos años, y todavía afincado en Fuentealbilla, el único representante a todos los efectos de Andrés era José Antonio Iniesta. No en vano, su hijo aún era menor de edad y, pese a la distancia, estaba bajo su patria potestad. El club estaba encantado con Andrés, pero las negociaciones fueron complejas.

Durante la temporada, José Antonio estuvo en contacto con dos personas. Uno era Joaquim Rifé, mítico exjugador del Barça de los años sesenta y setenta que asumió en el club un cargo cercano al que desempañaba Oriol Tort, después de su sentido fallecimiento en 1999 víctima del cáncer. *Quimet* ejerció de director técnico del fútbol base de 2000 a 2003. El otro, Joan Lacueva, la persona que Gaspart situó para coordinar las negociaciones con los jugadores del fútbol base. Lacueva era el segundo de abordo de Antón Parera, que asumía las funciones de director general adjunto del FC Barcelona. El padre de Iniesta nunca llegó a conectar con Parera, que consideraba demasiado elevadas las pretensiones económicas del manchego. Su opinión, parecida a la que en su día se tuvo en el Albacete, era que Iniesta mostraba síntomas de debilidad, que no podría desarrollar un físico capaz de adaptarse a las exigencias de la alta competición. Todos los informes eran excepcionales, pero siempre ponían en tela de juicio la misma cuestión: ¿será capaz de aguantar?

El encargado de conducir las negociaciones fue Lacueva, después de que Rifé le explicase que tenían un problema con la renovación de Iniesta en términos económicos. Ciertamente fueron muy complicadas. Hasta entonces, Iniesta percibía una beca de unas 25.000 pesetas al mes (150 euros), además del alojamiento, las comidas, la escuela, las visitas y la manutención. Llegados a ese punto, y después de lo mal que Andrés lo había pasado esos cinco años en La Masía, su padre tenía muy clara una cosa: la familia tenía que estar al lado del chaval. Así se lo expresó José Antonio al directivo: "La clave para que Andrés funcione es su entorno, la familia".

Su padre no consideraba apropiado que el pequeño y discreto genio siguiese solo en Barcelona con 17 años y un sueldo muy elevado para alguien de su edad. Lacueva recuerda que sus progenitores decidieron dejarlo todo para estar cerca de Andrés. Lo que comportaba renunciar a los ingresos que tenía José Antonio en la construcción, en un momento que las cosas iban a mejor, y al sueldo de la *Mari* en el bar. Para ello, pedían una compensación importante, de unos 100 millones de pesetas (600.000 euros aproximadamente), además del sueldo tipo de los chavales que firmaban su primer contrato profesional. Con ese dinero, los padres podrían amortiguar el abandono de su vida en Fuentealbilla y adquirir una residencia en Barcelona.

Lacueva, descrito por muchos como un hombre muy sensato, siempre escuchó los razonamientos de José Antonio. Pero le dijo que sus pretensiones podían ser interpretadas como una forma de sacar dinero y retirarse del trabajo cuando se les presentaba la oportunidad. "Eso no es así", decía José Antonio, un hombre de carácter que siempre anteponía el bienestar de su hijo. "Yo he comido un plato contigo, y sé que no es así. Pero yo tengo que convencer a una junta que considera que esa cantidad es excesiva", le contestó Lacueva cuando se reunieron en un restaurante de Barcelona. "Deja que transmita tu propuesta al club y volveremos a hablar", zanjó.

"Yo hablaba con Antón, y Antón hablaba con Gaspart. Este era el funcionamiento, así de sencillo", confiesa Lacueva. El directivo transmitió literalmente las palabras del padre de Iniesta a Antón Parera: "Si no venimos con Andrés, Andrés no triunfará en el fútbol. Si venimos con él, Andrés triunfará en el fútbol". Si bien José Antonio no recuerda con exactitud haber pronunciado estas palabras, sí que asegura que pocas clases de fútbol le podían dar a él los ejecutivos, que había sido jugador y entrenador de chavales. "La calidad de Andrés a los 16 años se anteponía ante los ojos de todo el fútbol español", sostiene todavía hoy, rotundo, el padre.

Pero los directivos debían velar por su gestión económica, que fue de considerable deterioro en los tres años de Gaspart al mando de la nave azulgrana. Algunos entendían aquellas palabras como amor de padre y no estaban dispuestos a dar el brazo a torcer. Se reunieron dos veces más.

"El primer equipo es otra cosa", le dijo Parera a José Antonio en una ocasión. El padre de Andrés, respetuoso, no se mordió la lengua: "Yo no sé si Andrés llegará o no al primer equipo, pero Andrés tiene calidad de sobra para jugar en el primer equipo. Eso sí, cuando le toque. Por calidad no habrá nadie que le supere, alguno podrá estar a su altura, los demás ninguno". Y los informes del club le daban toda la razón. Iniesta era uno de los diamantes en bruto de la cantera y su padre quería venir a Barcelona con él para ayudar a pulirlo.

La reunión definitiva se celebró a principios de julio de 2001 en las oficinas del hotel Husa, en la calle Caspe. Era la sede de la cadena hotelera que todavía preside Gaspart. Lacueva, Rifé, José Antonio y su asesor holandés se sentaron en una mesa y se enzarzaron en el mismo debate que los había tenido ocupados durante los últimos meses. Gaspart, que también andaba por el edificio, se acercó a la mesa y saludó al padre de Andrés: "¡Hombre!, señor Iniesta, ¿cómo está? Espero que le traten bien". "Bien sí que me tratan, pero no nos ponemos de acuerdo", espetó José Antonio, sincero. Entonces, Gaspart se llevó a Lacueva a una sala aneja y mantuvieron unas palabras. El chaval era muy bueno, el Madrid y varios clubes ingleses estaban al acecho y, antes de arriesgarse a verlo vestido de blanco, Gaspart no lo dudó: "Fíchalo. Que sepas que te pegaré una bronca que te pondrás rojo en la próxima reunión de junta por hacer un contrato así, pero fíchalo".

Lacueva volvió a la mesa, hizo un poco de comedia, y finalmente cedió a las pretensiones de José Antonio Iniesta. *Andresito* iba a firmar un contrato como profesional con el

FC Barcelona por cinco temporadas. "Si Andrés sube como indican los informes, lo normal será que vengas a pedir más dinero el año que viene, y al siguiente más. Es la ley del fútbol", valoró Lacueva.

Gaspart dio el golpe de efecto necesario. Rompió el protocolo habitual con los contratos e hizo su función, la de presidente. Y hoy, pese a las duras críticas que coleccionó su breve mandato, Gaspart y su junta pueden presumir de ser los responsables de haber atado a la base sobre la que se construyó el mejor Barça de todos los tiempos. El fichaje de Messi, que se unió a Cesc y Piqué antes de que los dejaran escapar, y las renovaciones de Puyol e Iniesta, que se mantuvieron en el club junto a Xavi y Valdés.

Doce años después, lo que mejor recuerda Gaspart de todo aquello es la pasión que puso José Antonio para que su hijo siguiese en el Barça. Lo cierto es que, aunque los informes eran favorables, había algo que jugaba en contra de Andrés: no era especialmente decisivo. Por ese motivo, la marcha del manchego estaba sobre la mesa y estuvo a punto de producirse. Pero el padre de Andrés insistió mucho y se reunió un día con Gaspart, en sus oficinas del Camp Nou. José Antonio le pidió al presidente que lo reconsiderase. Intercedió porque sabía que el futuro de su hijo pasaba por seguir en el Barça y departieron sobre fútbol, algo de lo que José Antonio entendía mucho. "La verdad es que yo le había visto jugar alguna vez de pequeño y a mí Andrés me encantaba. Su padre fue pieza clave. Puso mucha pasión para que su hijo se quedara en el Barça", confiesa el expresidente después de remontarse atrás en el tiempo.

Debut de cuento de hadas

Andrés volvía a ser un chico feliz. El reencuentro con su familia en Barcelona dejaba atrás de forma definitiva el sufrimiento de su primera etapa en La Masía. Había cumplido la promesa que le hizo a su padre y podía "volver" a casa. Aunque, más que volver, la casa vino a él. Ese primer contrato retiró a José Antonio del oficio de albañil, a los 40 años, y sirvió para comprar el nuevo hogar de todos, en Sant Feliu. Antes, estuvieron viviendo en un piso del barrio de Les Corts, frente al Camp Nou, donde Andrés recordaba sus vivencias con la melancólica canción "Pájaros de barro" de Manolo García de fondo y compartía momentos divertidos con sus perros de raza Yorkshire. El camino rumbo a la gloria no hacía más que empezar.

Durante las temporadas 2001-2002 y 2002-2003, Andrés tuvo ficha del Barça B. Allí trabajó a las órdenes de Quique Costas y *Chechu* Rojo, aunque siguió entrenando de forma eventual con el primer equipo, que estaba dirigido por un mito viviente del barcelonismo, Carles Rexach. Iniesta se adaptó rápidamente a las exigencias del filial azulgrana y se hizo con las riendas del juego en el medio campo, como "cerebro" que llevaba los tempos de cada partido. Su mezcla de aptitudes tomadas de Laudrup y

Guardiola afloraban para hacer de él un futbolista difícil de predecir, con la visión necesaria para dar pases definitivos, las cualidades para desbordar en un momento dado y la templanza del que sabe tomar la decisión adecuada en el momento oportuno.

En el B compartió vestuario con jugadores como Sergio García, Joan Verdú, Oleguer Presas, Thiago Motta, Nano, Rodri, Fernando Navarro, Haruna Babangida, Jorge Perona, Dani Tortolero, Óscar López, Dani Güiza, Albert Jorquera y, sobre todo, Víctor Valdés. Su etapa juntos en el filial sirvió para estrechar la amistad que iniciaron en La Masía. De personalidad, a veces, demasiado cerrada, ambos se entendían a la perfección. Pese a su poca predisposición a expresar sentimientos, las cosas les afectaban más de lo normal y tenían una asombrosa facilidad para darle vueltas al coco y reflexionar hasta la extenuación. Hasta que ya no había por dónde cogerlas. De peor temperamento Víctor que Andrés, curiosamente el portero no fue capaz de aguantar la ausencia de su familia a los 10 años, cuando se fueron a vivir a Tenerife y se quedó solo en La Masía. Los meses alejado de sus padres y sus dos hermanos calaron hondo en el futuro cancerbero del Barça y optó por dejar el club y reencontrarse con su familia en Canarias. El desplazamiento fue por motivos de trabajo de su padre y, afortunadamente para la carrera de Víctor, no tardaron en volver a Barcelona, pudiendo reingresar en las categorías inferiores del club. Seguramente por la añoranza que sufrió en aquellos meses siempre entendió tan bien al pequeño *Andrew*, como le llama él. Víctor cuidaba de Andrés, era como un protector para él y le cogió mucho cariño. En parte, porque siempre iba de cara, como él. En parte, porque Andrés tenía una facilidad innata para caer bien a los demás. De hecho, todo el que lo conoce lo define como una persona excepcional.

Los tres años intermitentes que pasaron en el filial fueron clave en su relación. Un Iniesta más maduro ayudó a Valdés cuando tuvo problemas. Víctima de sus impulsos y emociones, Víctor fue castigado por Van Gaal sin jugar en el primer equipo. Fue una temporada muy difícil para los intereses del club y Víctor, desde el trabajo, se hizo un hueco como titular en varios partidos del Barça, en detrimento de Roberto Bonano. Van Gaal, siempre metódico y de ideas muy claras, decidió que volviese al Barça B para mantenerse más en forma, por si le podía necesitar. Pero la *Pantera* ya se consideraba parte del primer equipo y entendió que regresar al B era dar un paso atrás en su carrera. Así que se negó y no se presentó al partido con sus compañeros del filial. Ello desató la cólera del holandés, enemigo fatal de los actos de indisciplina, y en el medio año que duró al frente del conjunto —hasta enero de 2003, cuando fue reemplazado por Radomir Antic—, ya no le volvió a llamar. Fue una etapa complicada para Víctor, que rectificó y se disculpó públicamente. Andrés, también a caballo entre el Barça B y la primera plantilla, le ayudó a encajar el golpe y le brindó su apoyo en todo momento.

Pese a no ser de la casa, Van Gaal siempre apostó por la gente de la cantera. Era un hombre de club. En su primera etapa empezaron a consolidarse Xavi y Puyol, y además le dio la alternativa por vez primera a Valdés. En su segundo intento, mucho más breve, el técnico holandés fue el encargado de hacer debutar a Iniesta con el primer equipo.

Antes de comenzar aquella temporada, Andrés volvió a disfrutar de un verano de éxito. Un año después de conquistar el Europeo sub-16 con España, una base parecida de jugadores disputó la Eurocopa sub-19 de Noruega, en julio de 2002. Iniesta, Torres y otros compañeros del 84 reforzaron la generación del 83, que estaba comandada por José Antonio Reyes, Sergio García y por uno de los mejores amigos del propio Andrés: Dani Jarque. Era un torneo atípico, muy corto, que constaba de una "liguilla" de dos grupos en que los dos primeros clasificados se plantaban directamente en la final y los segundos luchaban por el tercer y cuarto puesto. España galopó al ritmo que imponía Andrés en el centro del campo, pero empató el primer partido contra la República Checa (1-1) a pesar del pícaro gol que anotó el manchego de falta. Jarque mandó dos cabezazos al larguero. Para llegar a la final, tenían que ganar los otros dos partidos y la *Rojita* arrolló a Noruega (0-3) y Eslovaquia (1-3) gracias a las asistencias de Andrés y a la puntería de Torres, Reyes y Sergio. El combinado dirigido por Iñaki Sáez quedó primero de grupo y se mediría a la temida Alemania que había lesionado a Iniesta un año antes. Fue una final muy ajustada, en la que un brillante pase de Andrés sirvió para que Torres marcase el gol de la victoria tras una fulgurante carrera y un remate a trompicones. No importaba, el tanto valía igual y sería el único del partido. *El Niño* volvió a ser el máximo goleador del campeonato con cuatro dianas y el mejor jugador.

Otra vez en el Barça, Iniesta se enfrentaba a un curso agridulce. Dulce en lo personal, amargo en lo colectivo. El año de su vuelta, Van Gaal lo tuvo claro desde el principio. Quería que Andrés, ya con 18 años, se entrenase siempre con el primer equipo pero siguiese sumando partidos con el B. Así, el manchego fue "cazando" las rutinas de la elite rodeado de futbolistas como Luis Enrique, Kluivert, Saviola, Overmars, Cocu, Reiziger, Mendieta o Riquelme.

El 29 de octubre de 2002 llegó su día en un compromiso de Champions League y en Brujas (Bélgica), una ciudad de cuento de hadas. Igual que en la película *In Brujes* (*Escondidos en Brujas*), en aquel partido ocurrieron cosas extraordinarias. Sobre todo, desde el punto de vista del aficionado que nunca antes había visto jugar a aquel joven de blanca tez e inmensa habilidad en los pies que lucía el dorsal 34 a la espalda y su apellido, a secas. Fue el debut soñado: como titular y en Europa. El encuentro no fue especialmente atractivo, y también tuvo como novedad el estreno de uno de los compañeros de Andrés en el Europeo sub-19 que, en la actualidad, es uno de los símbolos del Espanyol: Sergio García. El Barça no se jugaba nada y el Brujas, que sí lo hacía, no tuvo nivel para plantar cara. Juan Román Riquelme fue el mejor del partido, autor del único tanto con un fuerte disparo desde fuera del área. Pero las sensaciones las puso el manchego. Al día siguiente la prensa caía rendida a sus pies. "Iniesta se doctoró en Brujas", "El 4 del futuro" y "Un estreno espectacular" son algunos de los titulares que recogían los diarios deportivos referentes de Barcelona. Andrés lo definió como el día más feliz de su carrera deportiva. "Antes de salir al campo, Van

Gaal nos ha dicho que disfrutásemos y es lo que hemos hecho. Debuté, jugué los 90 minutos y el equipo ganó, ¿qué más puedo pedir?", analizó el pequeño Andrés en declaraciones recogidas por el diario *Sport*. Nueve años después del debut, también aprovechó para mandarle un mensaje de agradecimiento a Van Gaal: "Le estaré agradecido siempre porque, a parte de ser el entrenador que me hizo debutar, con 18 años me dio una confianza que muy pocas veces he tenido".

Aquel año, Iniesta jugó algunos partidos más con el primer equipo. Fue el preludio de lo que estaba por venir en el futuro. Su verdadera prueba de fuego, no obstante, llegó el 5 de enero de 2003: su debut en el Camp Nou. El día de reyes, poco antes de la renuncia de Van Gaal, el manchego recibió su mejor regalo. Aquello por lo que tanto había luchado y que tantas veces soñó desde la ventana de su habitación en La Masía: pisar el césped del estadio como futbolista profesional del Barça. Esta vez era un partido de Liga, frente al Recreativo de Huelva. Los titulares de la prensa se adelantaron al acontecimiento y el día antes ya señalaban que Riquelme se quedaría sentado en el banquillo en detrimento de Iniesta. El Barça goleó (3-0) al conjunto andaluz en el primer partido del año. Andrés dio un recital de pases y amagos. De hecho, dos de los tres goles fueron precedidos de un pase suyo y el otro fue en propia meta. El primer tanto, un zapatazo del malogrado Fábio Rochemback; el segundo, hacia el final del partido, obra de Philip Cocu, después de quedarse solo ante el portero a pase del manchego. La cuenta de asistencias de Iniesta, que incluso estuvo a punto de marcar su gol, pudo verse ampliada de no ser por el escaso acierto de los finalizadores. Erraron más de 15 ocasiones. La prensa no escatimó en elogios al día siguiente: "Iniesta, al poder" y "Talismán Iniesta" titulaban algunos medios. Los críticos coincidieron en señalarle como el mejor del partido, y es que tenía una destreza fuera de lo normal para generar jugadas de gol a sus compañeros.

Sin embargo, lo mejor de aquel partido fueron los sentimientos que experimentó cuando salió del vestuario, atravesó el túnel y saltó al césped del Camp Nou. "Todo son sensaciones increíbles", reconocía el propio Andrés. El momento que más ilusión le hizo de todos fue escuchar el himno del Barça en el centro del campo, vestido para jugar, todos sus compañeros en fila. Él, uno más. Y, de repente, casi sin ser consciente de ello, suena su nombre por megafonía: "Con el 34, Andrés Iniesta". Se le puso la piel de gallina. Segundos después se evaporó todo, comenzó el choque y su cabeza pensó en fútbol. Solo fútbol.

Riquelme fue el gran damnificado aquella tarde. No jugó ni un minuto. El talentoso centrocampista argentino, de carácter especial, aterrizó en Barcelona esa misma temporada como gran estrella llamada a liderar el juego de toque barcelonista. Díscolo e introvertido, Riquelme nunca se adaptó a las exigencias del Barça y no aguantó más que una campaña. Iniesta tuvo tiempo de aprender de él y conectaron, a pesar de los intentos de la prensa por convertirlos en competencia directa. No lo eran. Sus situaciones no se podían comparar y Andrés todavía tenía mucho que absorber de los talentos que le arropaban. Riquelme era uno de ellos, y el albaceteño nunca ha escondido la admiración que le profesó. "Mantenemos una muy buena relación con Román y sobre su presente creo que a cualquier aficionado le gusta ver a Riquelme dentro de un campo de juego", aseguró el propio Iniesta en febrero de 2013 para radio La Red, en Argentina.

Han pasado diez años, pero los genios suelen llevarse bien. Ambos lo son, y todavía mantienen el contacto. Riquelme, por su parte, muestra una predilección especial por Iniesta y así se refirió a él en marzo del mismo año: "Es una maravilla verle jugar, una cosa increíble. No me pierdo ningún partido del Barça. Messi [su compatriota] es inigualable, pero Iniesta también". Dos años antes, en 2011, Riquelme dedicó más elogios al manchego. "Messi es el más grande, pero el que mejor juega a esto es Iniesta", matizó el argentino, que lo describió así: "Sabe cuándo hay que ir para adelante y para atrás. Si tiene la pelota por la izquierda sabe quién está en la derecha, sabe todo lo que hay que hacer. Cuándo tiene que *gambetear,* cuándo tiene que ir más rápido, más lento... Y pienso que eso es lo único que no se puede comprar ni aprender. Uno puede aprender a patear, a controlar la pelota, pero a saber todo lo que pasa en la cancha, no, con eso se nace". La admiración mutua que sienten el uno por el otro nació en aquella fatídica temporada en el FC Barcelona. Así lo recuerda Riquelme: "Yo tuve la suerte de llegar al Barcelona cuando él estaba en el filial. Empezó a entrenar con nosotros y le agarré mucho cariño. Pasábamos mucho tiempo juntos. Debutó en esa época y desde entonces tenemos una gran relación. Siempre seguimos hablando".

En total, Iniesta disputó nueve encuentros al más alto nivel del fútbol mundial en la temporada 2002-2003: Brujas, Mallorca, Recre, Málaga, Valencia, Celta, Bayer Leverkusen, Alavés y Newcastle. Cinco victorias, dos empates y dos derrotas. En su último partido, en Inglaterra, se rompió el quinto metatarsiano del pie derecho y estuvo seis semanas de baja. Antes, había visto su primera tarjeta amarilla en un partido de máxima tensión y que tuvo graves consecuencias para Van Gaal. El Barça cayó en Balaídos (2-0) y firmó la peor primera vuelta de su historia en la Liga, en 13ª posición. La semana anterior había encajado una dolorosa derrota en casa contra el Valencia (2-4) y el Celta asestó el golpe definitivo al holandés. Dos días después, el 28 de enero de 2003, renunció a su contrato y abandonó el Barça para siempre. Aquello fue el principio del final del mandato de Gaspart. Desesperado, el responsable de la renovación más difícil de Iniesta "había tirado la casa por la ventana" para tratar de devolver al Barça adonde se merecía. Sin éxito. Ni un solo título en tres años era un bagaje demasiado pobre para la nueva era que pretendía encabezar. A Gaspart le condenó su *hooliganismo*. Vivía y sentía el Barça como pocos aficionados y el ansia por conseguir resultados le hizo tomar algunas decisiones precipitadas. Siempre a remolque del Real Madrid de Florentino Pérez, desde el polémico "robo" de Luis Figo.

La progresión de Iniesta en el primer equipo se vio truncada. Antic, el sucesor de Van Gaal, tenía una plantilla a la que revitalizar y, como suele pasar en estos casos, optó por tratar de rescatar primero a los pesos pesados. Andrés, que había jugado los cuatro partidos de Liga del mes de enero completos, no volvió a saltar al terreno de juego con los "mayores" hasta marzo. La de Antic e Iniesta fue una relación singular. El destino, un factor que el de Fuentealbilla valora mucho, quiso que el serbio se convirtiese en su entrenador, aunque fuese por poco tiempo. Precisamente, Antic fue una de las primeras personas del mundo del fútbol en reparar en las condiciones de Andrés, cuando solamente era un niño. Fue en el famoso torneo de Brunete, donde el técnico hizo de comentarista. Allí, no tuvo problemas en confesar a José Ramón de la Morena las cualidades del 5 del Albacete. De hecho, Antic se las dio de vidente y auguró que Iniesta sería un gran jugador de la selección española. ¿Por qué? Pues porque no cometía errores, no perdía balones, daba el pase donde tenía que darlo y no protestaba ni hacía malos gestos. Todas esas palabras salieron de la boca de Antic siete años antes de tenerlo en su plantilla. Cuando lo tuvo, no quiso aprovecharlo.

El fantasma de los minutos

La campaña 2002-2003 fue oscura para el FC Barcelona. Demasiada inestabilidad deportiva que desembocó en una crisis institucional. Daba la sensación de que el club había perdido el rumbo desde aquella famosa discusión entre Núñez y Cruyff, en 1996. Aunque se conquistaron algunos títulos entre medias y se pudo disfrutar del buen fútbol de brasileños como Ronaldo y Rivaldo, el ambiente estaba crispado. La entidad necesitaba un cambio, después de 25 años de *nuñismo*.

El 15 de junio de 2003, el abogado Joan Laporta y el empresario Sandro Rosell, muy vinculado a la firma Nike, ganaron las elecciones a la presidencia del Barça con 27.138 votos (52,57 por ciento). Derrotaron al reputado publicista Lluís Bassat, que también perdió contra Gaspart tres años antes. Laporta llegaba con ideas muy claras y con la intención de acabar con prácticamente todo lo que olía a Núñez. Uno de los descartados fue Ricard Maxenchs. Tampoco siguió Antic, pese a la buena segunda vuelta que firmó. Con Txiki Begiristain como director técnico y Johan Cruyff como asesor en la sombra, Frank Rijkaard fue el elegido para dirigir el equipo. La incorporación del técnico holandés y Henk ten Cate —segundo entrenador y hombre de confianza del técnico— al banquillo no afectó a la evolución de Iniesta, por todos considerado una de las perlas de la cantera. Con el holandés, Andrés pasó a tener ficha únicamente del primer equipo, se hizo con el dorsal 24 y se despidió definitivamente del filial. También incluyó la "A" de Andrés en su camiseta, de forma que, desde entonces, se puede leer a su espalda "A. Iniesta". La plantilla fue retocada de arriba a abajo y, con las nuevas llegadas, la figura del canterano quedó algo difuminada.

El fichaje de la ilusión terminó siendo Ronaldinho Gaúcho. El astro brasileño, que llegó procedente del Paris Saint-Germain a cambio de 30 millones de euros, fue la persona encargada de devolver la sonrisa a un club en decadencia. *Ronnie* se convertiría en el eje vertebrador en torno al cual giraría el juego del equipo durante los próximos años. A su alegría y sus gestos surferos se sumaron jugadores que desarrollarían un papel importante en el futuro, como Rafa Márquez y Giovanni van Bronckhorst. De todas las incorporaciones, ninguna afectaba directamente al puesto de Andrés. El perfil más parecido al suyo que había en el equipo era el que con los años se acabaría convirtiendo en su pareja de baile inseparable, el también canterano Xavi, que al fin empezaba a consolidarse en la primera plantilla. Sin embargo, había muchos otros centrocampistas que estaban por delante de él todavía, como Cocu, Gerard, Gabri y Motta. Aunque ninguno de ellos tenía la calidad de Andrés, la jerarquía le hacía estar por detrás.

Andrés y Xavi tienen dos perfiles diferentes, pero siempre han sido objeto de constantes comparaciones. Igual que comparaban al egarense con Pep cuando empezaba, porque tenía que ser su relevo. Los tres tenían en común que, de pequeños, habían encarnado la figura del 4 en el sistema de juego *cruyffista* que se estilaba en La Masía. Pero, por lo demás, las diferencias entre ellos eran sustanciales. Xavi fue más ofensivo que Pep, y Andrés es más ofensivo que Xavi. Aunque también es cierto que, cuando el de Terrassa falte, no habrá nadie tan capacitado para suplirle como el propio Andrés. Pese a ello, los tres siempre han evadido las comparaciones. Así lo manifestó Iniesta tras su primer partido con el Barça: "Cada uno tiene sus características y su estilo, somos jugadores distintos. Guardiola y Xavi juegan en mi posición y trato de aprender al máximo de ellos, pero yo soy Andrés". Sus dos mentores opinan igual, por eso Xavi siempre exigió que no le comparasen con Andrés, ya que tenían unas características muy diferentes, por ejemplo el uno contra uno. El 6 azulgrana siempre reconoce que Andrés es el jugador con el que más le gusta jugar: "Para mí es el socio perfecto, con el mismo rango. Nuestro nivel de compenetración es tan alto que no necesitamos las palabras para movernos. Cuando él sube, yo bajo; cuando él tiene la pelota, yo me desmarco; cuando yo recibo el balón, él se ofrece. Es un baile sencillo". "Puedo decir orgulloso que para mí es un honor haber compartido estos diez años con él", zanja Xavi en el libro sobre Iniesta del diario *Sport*. Guardiola, también contrario a las comparativas, no pudo evitar decir en una ocasión que Xavi lo retiraría a él y que Andrés haría lo propio con Xavi.

Iniesta tuvo un papel muy secundario en la temporada 2003-2004. Por primera vez en su vida se tuvo que enfrentar al fantasma de la falta de minutos, y no lo llevó demasiado bien. Fiel a su estilo, apostó por seguir trabajando duro, sin hacer mucho ruido y con paciencia. Consciente de que tarde o temprano le llegaría su oportunidad. Su estreno oficial en la era Rijkaard fue como comodín de última hora, al borde del tiempo de prolongación en el segundo encuentro liguero de la temporada, contra el Sevilla. El Barça no pasó del empate a uno, pero el partido quedó grabado en la retina del aficionado culé por el maravilloso gol que anotó Ronaldinho. Un tanto a poco de terminar el choque, después de evitar a dos defensores, chutar desde 25 metros, golpear el balón en el travesaño y adentrarse en las mallas de la portería rival con fuerza. Algunos estudios aseguran que el estallido de júbilo de los 80.000 espectadores que acogió el Camp Nou aquella noche provocó un ligero movimiento sísmico. Andrés fue testigo de excepción del magnífico gesto de Ronaldinho, pero todavía estaba muy lejos de poder compartir minutos con aquel fenómeno de imperturbable sonrisa.

El segundo partido de Andrés con Rijkaard fue más especial, aunque tampoco por el tiempo de juego que dispuso. El manchego de 19 años regresó a su tierra, Albacete, para enfrentarse a su equipo de toda la vida en el estadio Carlos Belmonte. Iniesta solamente gozó de 7 minutos más el tiempo añadido, pero le sirvieron para pisar por vez primera como profesional el campo de su amado "Alba", que tan dentro del corazón seguía llevando. El Barça pasó apuros de última hora para obtener la victoria (1-2), que llegó gracias a los goles de Cocu y Luis Enrique. El joven Andrés apenas tuvo tiempo de protagonizar una brillante jugada al filo de los 90 minutos que terminó con un potente chut que se marchó fuera, rozando la escuadra. Fue una lástima no marcar en un estadio con tanto significado para él y más teniendo en cuenta que todavía no se había estrenado como goleador con el primer equipo. La realidad era que Andrés estaba teniendo pocos minutos y, por lo general, los que tenía eran de sufrimiento. Lo pasó muy mal, peor de lo que podía parecer.

El aspecto más positivo de la dura competencia que tenía fue que entre el 27 de noviembre y el 19 de diciembre el club le dio permiso para disputar el Mundial Juvenil de 2003 que se celebraba en los Emiratos Árabes Unidos. Andrés asumía galones, una vez más, en las categorías inferiores de la selección española, en esta ocasión la sub-20. Venía de dos ciclos exitosos en Europa con la sub-16 y la sub-19, aunque también había conocido el sabor de la derrota en campeonatos sub-15 y sub-17. El Mundial Juvenil suponía un reto especial por el hecho de salir de Europa y el equipo realizó un torneo formidable. Empezaron mal, contra la Argentina de su futuro compañero en el Barça Javier Mascherano, donde también brillaba un joven y rebelde talento llamado Carlos Tévez. Los albicelestes se impusieron en el primer partido (2-1) y obligaron a la *Rojita* a ganar los restantes duelos de la fase de grupos. Mali (2-0) y Uzbekistán (1-0) fueron las víctimas, y España pasó como segunda de grupo. En octavos, los chicos de José Armando Ufarte se impusieron a Paraguay (1-0) y en cuartos tuvieron que recurrir a la prórroga para doblegar a Canadá (2-1). En semifinales, y siempre a ritmo de Iniesta, volvieron a ganar por la mínima a Colombia (1-0). Sin Torres, el combinado español acusó la falta de gol y Andrés se vio obligado a tirar de galones también en aquella faceta. Marcó tres goles durante el torneo, frente a Uzbekistán, Canadá y Colombia, siendo clave para acceder a la *finalísima*. España no pudo con el Brasil de Dani Alves (1-0) en el duelo definitivo. El jugador brasileño fue el más activo de la Canarinha en un partido con polémica por la pronta expulsión del capitán español, Melli, a los tres minutos de partido. Andrés fue el mejor de España, pero se quedó con la amargura de perder una final del mundo. Curiosamente, Alves y Andrés coincidieron en el Barça años después y ambos poseen un palmarés de película compuesto por 23 títulos.

A su regreso, Iniesta recordó las sensaciones vividas hacía justo un año, cuando debutó en el Camp Nou, y volvió a ser titular en el primer choque del año, el 4 de enero. Con la diferencia de que jugaban en Santander y el desenlace fue justo el contrario. Un año antes ganaron al Recre por 3-0 y en aquella ocasión iban a caer por el mismo y sonrojante marcador ante el Racing. Pese al mal partido, Iniesta jugó los 90 minutos y repitió el mismo protocolo al siguiente encuentro, contra el Levante en Copa. El Barça volvió a caer derrotado (1-0). La culpa no era suya, nada más lejos de la realidad. Pero las sensaciones no eran positivas, ya que, pese al empeño que le ponía, no llegaban los resultados. Iniesta, testarudo y perfeccionista como pocos, se obcecaba buscando la manera de mejorar. De hecho, era y sigue siendo una práctica habitual en él, la de mirar los partidos en casa la noche después a haber jugado o al día siguiente. Le gusta analizar todos los detalles del choque y observar atentamente su actuación. Sin duda, síntoma inequívoco de su implicación, siempre en busca de la fórmula para ayudar al equipo.

Rijkaard mantuvo su confianza en él. Volvió a ser titular en los dos encuentros siguientes, aunque no completó los 90 minutos. El Barça finalizó la primera vuelta en un cuestionable séptimo puesto, fuera de Europa. No eran las sensaciones esperadas, y menos tras la oleada de ilusión que había prometido la directiva de Laporta. Pero era un nuevo proyecto y había que tener paciencia. Precisamente por eso se decidió incorporar a Davids, que terminó siendo la pieza clave en el engranaje de la máquina hasta final de temporada. El centrocampista holandés se ganó un puesto en el once titular, cosa que le cerraría un poco más las puertas a Andrés. El manchego, no obstante, sería decisivo para remontar la eliminatoria de Copa contra el Levante en el partido de vuelta que se jugó el 14 de enero. A los tres minutos de juego, Andrés marcó su primer gol con la camiseta del Barça. El manchego fusiló al meta del conjunto granota, Aizpurúa, después de recibir una buena asistencia de Saviola. Se estrenaba por fin con la primera plantilla para igualar la eliminatoria. No sin polémica, el marcador final fue de 3-1, completado con goles del *Conejo* y Ronaldinho. Iniesta contribuyó de forma decisiva en aquella victoria. Sin embargo, la mala suerte fue a por él y se lesionó: pubalgia y distensión del aductor derecho. Quince días de baja que se tradujeron en más de un mes sin volver a jugar. En ese periodo se disputó el Barça-Albacete en el Camp Nou, justo después de la eliminación en Copa a manos del Zaragoza de David Villa y Gaby Milito, al que habían ganado bien en Liga. Los de Rijkaard abusaron del cuadro manchego (5-0) pero al de Fuentealbilla ya no le dolió tanto la paliza a su "Alba" y, evidentemente, no se volvió a repetir la historia de cuando era pequeño, en que se pasó al Madrid, dolido.

Iniesta regresó a las canchas el 26 de febrero para jugar la eliminatoria contra el Brondby, en la Copa de la UEFA. En los siguientes cuatro partidos que disputó, encadenó cuatro victorias, aunque siempre salió desde el banquillo. El más memorable, frente al Valladolid, otra vez con resultado favorable de 1-3. Iniesta entró al campo a falta de 11 minutos para el final en sustitución de Gerard y volvió a marcar. Su segunda diana llegó en Liga y fue el gol de la sentencia, en el minuto 84. La acción vino precedida de un gran pase de Luis Enrique que el manchego aprovechó para enviar al fondo de las mallas sin miramientos. Andrés y *Lucho* se fundieron en un tierno abrazo casi cuatro años después de aquel primer entrenamiento del chaval, cuando el asturiano le hizo de guía por las instalaciones del Camp Nou. Fue un momento emotivo ya que Luis Enrique, entonces capitán del Barça, colgó las botas al final de aquella temporada, cumpliendo el sueño de muchos de retirarse en el FC Barcelona. Aquel gol de Andrés también tuvo un significado especial en la relación entre el manchego y Víctor Valdés. El guardameta, como poseído, cruzó todo el campo para brindar un sentido abrazo a su amigo. Desde entonces, ambos guardan una fotografía del día en que Andrés anotó ese gol en sus respectivas taquillas de vestuario y una promesa que nunca han desvelado.

Iniesta todavía jugó otros cuatro partidos de Liga. En varios choques, Rijkaard optó por reubicar al manchego, que a menudo tuvo que lidiar con los laterales rivales jugando de falso extremo. Las cualidades de Iniesta le permiten desenvolverse en cualquier posición del campo y, pese a no tener la velocidad de un extremo puro, es capaz de generar mucho juego pegado a la banda. En aquellos tiempos en que hacerse con un puesto en el centro del campo todavía estaba muy caro, *Andresito* aceptó con orgullo el reto de aportar otras cosas. Lo que fuese, con tal de tener minutos. La apuesta salió a pedir de boca en el derbi de la ciudad, contra el Espanyol. El primero que jugaba Andrés desde que se instaló en el primer equipo. Y lo hizo como titular. El manchego se proclamó dueño y señor del flanco izquierdo y puso la asistencia del primer gol del Barça, que anotó *Ronnie*. Era el gol del empate, ya que Tamudo había avanzado a los visitantes de penalti. Los aciertos posteriores de Saviola (2) y Van Bronckhorst rubricaron el 4-1 definitivo. Rijkaard salió airoso aquella noche, después de sentar a Overmars para poner a Iniesta en banda y arrollar al conjunto de Luis Fernández.

Con el tiempo, Andrés se pronunció de forma clara y concisa sobre la posibilidad de jugar en otras posiciones alejadas, a priori, de su lugar habitual: "A mí me gusta jugar y punto. No importa en qué posición. Sinceramente, ni siquiera tengo muy claro cuál es mi posición y tampoco es algo en lo que me fije mucho". Rotundo, sin lugar a dudas. El 11 de mayo de 2004, apenas nueve días después del citado derbi, Andrés cumplió 20 años. Ese mismo día recibió un regalo especial, su primera convocatoria con la selección española absoluta, aunque no llegó a jugar. Pero las cosas iban de cara: era muy joven y llevaba una temporada instalado en el primer equipo de uno de los clubes más grandes del mundo. Humilde desde sus orígenes, su única prioridad pasaba por jugar y adaptarse a las peticiones del entrenador. Solo el hecho de saber que contaba para el míster ya era un logro importante, sabedor de la severa competencia que tenía.

Quizás no fue una pieza clave aquella temporada, pero tuvo sus momentos de gloria y, sobre todo, una labor de aprendizaje vital de cara a su futuro. Así lo explicaba él mismo unos años después: "Estuve una temporada saliendo prácticamente siempre desde el banquillo, pero me lo tomé de forma positiva. Si salías 20 minutos, había que darlo todo para que el entrenador supiese que podía contar contigo. Lo realmente difícil de toda esta etapa es mantenerte en un club como el Barcelona, donde cada año viene gente nueva, que cuesta llegar al primer equipo... Pero, insisto, lo difícil no es llegar, sino mantenerse". Y nunca perdió la ilusión, como se puede comprobar en declaraciones que realizó para el diario *El País*: "Al principio de subir al primer equipo no jugaba mucho, pero tenía el convencimiento de que iba a triunfar y tenía mi ilusión. Se hablaba de cesión, pero yo prefería estar aquí aunque jugase cinco minutos, sabía que con trabajo e ilusión me llegaría lo mío". En su primer año oficial con número de la primera plantilla, Andrés aportó su granito de arena en los 17 partidos —ocho como titular— que disputó para firmar la mejor segunda vuelta de la historia de la Liga. 45 puntos en 19 jornadas y la segunda posición del campeonato, por detrás del Valencia. La remontada fue de leyenda. Era la primera piedra que ayudaría a construir un camino plagado de éxitos.

El gol, una relación tormentosa

La relación entre Iniesta y el gol es inestable. Cuestión de rachas, podría decirse. De hecho, todos los goleadores tienen sus rachas. En el caso de Andrés es lo mismo, solo que sin aplicarle el calificativo de goleador. Mete goles, pero no es su fuerte. Ni siquiera la gente de su entorno se pone de acuerdo a la hora de recordar si de pequeño era goleador o no. Hay quien dice que nunca lo fue. Que estaba repleto de virtudes pero que siempre tuvo la carencia del gol. Otros, en cambio, aseguran que, de niño y no tan niño, metía muchos más goles que ahora. Que podía anotar perfectamente entre 15 y 20 goles en una misma campaña. De lo que no cabe duda es de que tenía un don especial para marcar en momentos memorables, como hizo en la Nike Cup del 99 y como le ocurriría más adelante. Tampoco es cuestionable el hecho de que tenía rachas muy buenas. Lo demostró en el Mundial Juvenil de 2003, donde marcó tres goles en siete partidos, entre ellos el tanto que le dio a la selección sub-20 el pase a la final.

Jordi Mesalles, el buen amigo de Andrés que jugó en las categorías inferiores del club más o menos hasta que su compañero llegó al primer equipo, asegura que era un gran goleador. Al menos, en las dos temporadas que ambos coincidieron como cadetes: "De pequeño tenía mucho gol.

Muchísimo. Tenía mucha llegada, y eso que jugaba de 4. Era una máquina. De 4 era imposible que le robaran la pelota, pero cuando jugaba de 10 se notaba muchísimo. Hacía lo que quería. Tenía ese punto de llegada final sobre la línea, de pared y entrada o incluso de disparo. Metía bastante más de diez goles por temporada".

Jorge Troiteiro, el chico que llegó con él a La Masía, no lo recuerda como un goleador, pero asegura que marcaba las diferencias: "Ya de pequeño se le veían muy buenas maneras. Siempre fue muy buen futbolista, pero con el tiempo ha evolucionado muchísimo. Él entonces jugaba de 4 y ahora te puede jugar en cualquier sitio y, por tanto, es más ofensivo que en aquella época. Pero el gol no era su fuerte. Sí que marcaba goles, porque la verdad es que marcaba la diferencia, pero tampoco ha sido un gran goleador. Eso sí, para mí es el mejor jugador del mundo".

Joan Lacueva, el directivo que negoció el primer contrato como profesional de Iniesta con su padre, asegura que marcaba más goles que en la actualidad. Asesorado por el entonces director técnico del fútbol base *Quimet* Rifé, Lacueva siguió de cerca su evolución en las categorías inferiores del club: "Entonces era una copia de lo que es ahora. Un jugador con mucha intuición y muchísima inteligencia. Se iba en el uno contra uno sin tener aparentemente excesiva fuerza física ni explosión. Marcaba más goles que ahora. Pero también es difícil marcar goles teniendo al lado a Messi, es más fácil hacer la asistencia. Pero tiene gol, mucho más que Xavi, por ejemplo. Iniesta tiene un uno contra uno como pocos jugadores. No necesita espacio ni velocidad para irse de los rivales". Con el paso del tiempo, y acoplado de lleno al primer equipo, Andrés evolucionó en su juego, pero perdió olfato goleador. Si bien de pequeño jugaba más retrasado, al estilo de Pep Guardiola, su desarrollo le llevó a parar a su lugar preferido en el campo, el de centrocampista adelantado. Más similar a Laudrup. Sin embargo, y pese a estar en una posición mucho más cercana al área, su instinto siempre le ha hecho buscar la asistencia. Más que la falta de gol, la principal carencia que se le achacaba de pequeño era su físico. Lacueva reconoce que todos los informes que tenía sobre Iniesta eran ejemplares. Las únicas dudas que generaba respondían a su aparente fragilidad: "Víctor Sánchez —jugador ahora del RCD Espanyol— tenía mucha más proyección que Iniesta, por ejemplo. Era más fuerte y mucho más decisivo... Pero Iniesta tenía mucha calidad".

En lo que sí que se pone de acuerdo toda la gente que vio jugar a Andrés de pequeño es en que su juego era prácticamente calcado al que hace ahora. Era un placer contemplarle jugar. Josep María Minguella, exrepresentante de futbolistas y antiguo asesor de Gaspart en su etapa como presidente del Barça, también coincidió con Andrés y con su padre en alguna ocasión. Aunque sus tareas iban más encaminadas hacia el primer equipo, Minguella tiene una idea muy clara de lo que es Iniesta como futbolista: "Es calidad técnica, anticipación jugando. Es el típico jugador válvula que no permite gran esfuerzo físico porque no es su fuerte, pero que siempre está situado para ayudar al compañero a que le pase la pelota, que no la pierde, que sabe generar espacios, que sabe internarse, que no es un gran chutador pero que la toca bien. El porcentaje de minutos que juega lo rentabiliza mucho". Benaiges, Troiteiro, Mesalles y su propio padre, José Antonio, entre muchos otros, coinciden en que el Iniesta de ahora es una versión mejorada, pero muy parecida, de lo que era de niño. El mejor ejemplo de la magia de Andrés lo pone Lacueva: "No sé si alguna vez te ha dado la sensación de ver un partido y pensar que los jugadores siempre pasan la pelota al otro lado de donde deberían pasarla... Iniesta no, siempre la pasaba a donde tú creías que la tenía que pasar, al lugar correcto. Ya de pequeño era muy inteligente jugando. Y como persona es excepcional".

Lo más curioso del caso es el efecto ganador que generan Iniesta y su relación con el gol. A lo largo de las diez temporadas (2003-2004 a 2012-2013) que Andrés ha tenido ficha del primer equipo, ha marcado un total de 47 goles entre todas las competiciones oficiales. Todos ellos en partidos distintos, es decir, que nunca ha firmado un doblete con la elástica azulgrana. Sin embargo, el porcentaje de victorias cuando Iniesta marca es muy elevado. Hasta en 42 ocasiones el equipo ha ganado cuando Iniesta ha anotado (el 90 por ciento de las veces). Los otros cinco partidos (Valencia, Olympique de Lyon, Espanyol y Chelsea en dos ocasiones) terminaron en tablas. En los dos empates contra el Chelsea, uno fue con dulce sabor a victoria y el otro con la amargura de la derrota. Pero nunca el Barça ha perdido un partido en el que Andrés haya visto portería. Las campañas en que más goles ha anotado son la 2006-2007 y la 2010-2011, con un total de nueve goles en cada una, y el equipo que mejor se le ha dado es el Málaga, que ya ha encajado cuatro goles del manchego. Con España, lleva un total de 11 goles, pero no marca desde el 29 de febrero de 2012. Un gol que precisamente anotó en el estadio de La Rosaleda, en Málaga.

La primera Liga: fin a la sequía

En la segunda temporada oficial de Iniesta en el primer equipo llegaron más minutos, pero los goles seguían quedándose por el camino. Marcó exactamente la misma cantidad que en la temporada anterior, dos. La campaña 2004-2005 fue la de la consolidación del proyecto de Laporta. El efecto Ronaldinho iba *in crescendo*. Daba la sensación de que todo el barcelonismo se estaba contagiando de la alegría que transmitía aquel genio del balón, un absoluto ídolo de masas, un generador de ilusión inabarcable. Hubo muchos responsables de la resurrección del Barça, pero *Ronnie* fue el principal artífice. La persona capaz de cambiar el rumbo depresivo del club. Eso sí, Txiki y Rijkaard se encargaron de rodearlo de un grupo de escuderos de primer nivel que ayudarían al equipo a dar un enorme salto de calidad. Las caras del colectivo cambiaron por completo. Pesos pesados de los últimos años, especialmente los holandeses, abandonaron el barco: Cocu, Reiziger, Kluivert, Overmars, Saviola y, sobre todo, el ya citado Luis Enrique, que dejó el brazalete de capitán en el brazo de su amigo Carles Puyol. Por mucho tiempo. Sandro Rosell dejó su huella en las nuevas incorporaciones, donde predominaba la denominada *samba brasileira*:

Belletti, Sylvinho, Edmilson y el brasileño-portugués Deco. Este último, que llegó procedente del Oporto a cambio de 18 millones de euros, fue vital en sus dos primeras temporadas y se convirtió en el verdadero "tapón" que impidió a Iniesta hacerse con un hueco en la titularidad. En otras posiciones, como la portería, se optó por priorizar la cantera, con Jorquera y Rubén —el único de la generación de Iniesta que llegó a estar con el manchego en el primer equipo— y con Damià Abella y Fernando Navarro como alternativas en los laterales. En la delantera no faltó nueva pólvora. El extremo francés Ludovic Giuly, el *killer* sueco Henrik Larsson y el león indomable Samuel Eto'o completaban un equipo con aspiraciones a todo, con hambre de títulos, preparado para hacer historia.

Laporta también dejó su particular sello con la contratación de Eto'o. Sin duda, el camerunés fue el fichaje del presidente, que llegó al Barça tras unas complejas negociaciones a tres bandas con Mallorca y Real Madrid por un precio de 24 millones de euros. "No voy a prometer 50 goles. Lo que puedo prometer es correr como un negro para mañana vivir como un blanco", fue la carta de presentación del ariete en su llegada al Camp Nou. Eto'o daría mucho de que hablar tanto dentro del terreno de juego —marcó 152 goles en 232 partidos oficiales y está entre los diez máximos anotadores de la historia del club— como fuera. Díscolo y de fuerte temperamento, ocasionó momentos de crispación en el vestuario pero en cambio se llevó fenomenal con el dócil Iniesta, que siempre ha tenido una extraña facilidad para atraer hacia él los caracteres más fuertes. Ese magnetismo especial.

El delantero que tenía que disputarle el puesto, Larsson, llegó con la carta de libertad después de dejar el Celtic de Glasgow, con 33 años. El sueco era un delantero de la vieja escuela, con talante reservado, serio y trabajador, que conectó de una extraña forma con el público del Camp Nou. Sin tener un gran protagonismo durante los dos años que estuvo en el club, mantuvo un bonito idilio con el hincha culé desde el primer día. Básicamente por su carácter y las buenas vibraciones que desprendía. Larsson también tenía un papel que desempeñar en la historia del club. Tenía una cuenta pendiente con el destino, y llegó al Barça para saldarla. En dos años, se implicó mucho en el Barça y se llevó un recuerdo imborrable. Preguntado años después por Andrés y por Xavi, el sueco se derretía: "Messi es fantástico y, en estos momentos, diría que es el mejor futbolista que hay en su posición. Según lo veo yo, Xavi e Iniesta son igual de impresionantes a su manera. En su demarcación son los mejores. Admiro mucho a esos dos, y a Messi, por supuesto, sobre todo porque actualmente se oye demasiado eso de que los jugadores tienen que ser altos y poseer un físico impresionante para llegar a la cima".

Con una armada de ensueño, el Barça empezó la Liga disparado, como un cañón. El equipo de Rijkaard arrollaba a sus rivales con el brillante juego desplegado desde el primer partido, que fue ante el Racing (0-2). Se mantuvo invicto durante las diez primeras jornadas, donde solo dejó escapar cuatro puntos de 30 posibles y se consolidó en lo alto de la clasificación, de donde nadie sería capaz de sacarlo. La entidad llevaba cinco años sin ganar ni un solo título —el último de Núñez, los tres de Gaspart y el primero de Laporta— y había llegado la hora de cambiar las tornas. En la jornada 7 los de azulgrana se desplazaron al estadio Lluís Companys de Montjuïc para disputar el primer derbi del año contra el Espanyol. Fue un partido tosco, de mucha intensidad, donde Deco marcó el único gol, el de la victoria. Andrés jugó 23 minutos de partido y entró en sustitución de Eto'o para ocupar el lugar de Deco, que se adelantó, y compartir el mediocampo con Xavi. Un anticipo de lo que ocurriría en el futuro. El albaceteño aportó la frescura que le caracterizaba, con su deslumbrante juego al primer toque, y se midió por vez primera a uno de sus ídolos de infancia, Iván de la Peña. *Lo Pelat* fue el referente ofensivo de su equipo, distribuyendo juego, pero no pudo brillar, superado por el centro del campo del Barça. Aunque, por encima de todo, aquel partido se recuerda como el del debut con la camiseta del primer equipo del Barcelona de un joven canterano llamado Lionel Messi.

Andrés se enfrentó al Real Madrid por primera vez tan solo una jornada después del primer tropiezo liguero, contra el Betis (2-1), y solamente tres días después de renovar con el Barça hasta junio de 2010, con una cláusula de 60 millones de euros. Muestra inequívoca de que tanto técnicos como directiva seguían muy de cerca su evolución y contaban con él para el futuro. El de la jornada 12 de Liga fue el primer clásico en la historia de Iniesta, y lo cierto es que no pudo salir mejor. Su amigo Eto'o, sediento de venganza contra la *casa blanca*, destapó las vergüenzas del conjunto blanco y destripó su defensa con un gol de *pillo*. El camerunés le "birló la cartera" a su amigo Iker Casillas, que no se entendió con Roberto Carlos. El Madrid de los "galácticos" andaba un poco desubicado por el Camp Nou, y no tardó ni un cuarto de hora en recibir el segundo mazazo, obra de Van Bronckhorst. En la primera mitad, el rodillo azulgrana había aplastado al Madrid de Figo, Zidane, Beckham, Raúl, Guti, Owen y Ronaldo, que no remataron ni una sola vez entre los tres palos. El segundo tiempo sirvió para que el *león indomable* pegase el último mordisco, ya con Iniesta sobre el tapete. Eto'o realizó una carrera formidable en la que recorrió tres cuartos de campo con el balón en sus pies y provocó un penalti cuando ya encaraba a Casillas. Ronaldinho se encargó de transformarlo y situar el 3-0 definitivo. Fue una noche de delirio para el aficionado del Barça, que después de cinco años a la sombra empezaba a vislumbrar los primeros rallos de luz.

Durante aquella temporada, Iniesta se consolidó en el equipo como el jugador número 12. En la mayoría de ocasiones seguía saliendo desde el banco, pero siempre tenía por delante entre 20 y 30 minutos para desplegar su fútbol preciosista, de mimo. Su primer partido como titular en aquella Liga llegó en la jornada 14, contra el Málaga (4-0). En la primera mitad, el de Fuentealbilla estuvo escorado en la banda derecha y no participó en exceso en el juego, monopolizado por un incombustible Deco. El portugués dio el pase del primer gol a Eto'o y se encargó de marcar el segundo con un fuerte lanzamiento por la escuadra. El segundo tiempo fue otra historia. Así lo describió Andrés Astruells para *Mundo Deportivo*: "Tras el descanso tomó el relevo el joven Iniesta, aparentemente incómodo en la banda derecha durante los primeros 45 minutos, para explotar de forma estelar cuando el choque parecía caer en la monotonía. Iniesta hizo el tercer gol con olfato de buen oportunista y, al límite del tiempo, realizó una jugada genial por la izquierda, colándose hasta la 'cocina' y asistiendo a la voracidad goleadora de Eto'o, que solo tuvo que empujar su segundo gol del partido". El encuentro terminó con siete futbolistas de la cantera en cancha —Valdés, Puyol, Oleguer, Xavi, Iniesta, Navarro y Messi— y la ovación merecida del Camp Nou. Tras el choque, Rijkaard dedicó sabias palabras al joven: "Antes del partido hablé con Iniesta y él sabía que debía sacrificarse en la banda. Pero jugó con paciencia y completó un partido fantástico".

En la siguiente jornada le tocaba el turno, por segundo año consecutivo, a su Albacete. Andrés regresó al Carlos Belmonte y esta vez sí que fue titular. Si en su última visita se quedó a las puertas de marcar, en esta ocasión no quiso esperar ni un instante. El mago manchego marcó el gol más tempranero de la Liga, a los 80 segundos de juego, pero no quiso celebrarlo por respeto a la que pudo haber sido su afición, si no hubiese tomado la decisión de fichar por el Barça en aquel lejano verano de 1996. La titularidad ante Málaga y Albacete le sirvió para tener una de esas fugaces rachas goleadoras que cogía de vez en cuando. Los dos únicos goles que marcó en el curso 2004-2005. Después del partido, Andrés valoró la polivalencia que había tenido que demostrar a lo largo del campeonato: "Cada encuentro es diferente y te tienes que adaptar en lo que puedes". Preguntado sobre el gol, la sonrisa que se le dibujó en la cara le delataba: "Marcar siempre sienta bien".

El terrible otoño de 2004, donde se produjeron hasta cuatro —Larsson, Edmilson, Motta y Gabri— lesiones graves de rodilla, ayudó a que Iniesta disfrutase de algunos minutos más. Andrés participó en la tensa eliminatoria contra el Chelsea de José Mourinho, que ejerció como segundo entrenador del Barça durante la etapa de Bobby Robson y Louis Van Gaal. El manchego desempeñó la función que solía tener encomendada, la de revulsivo del partido en banda. Puso la chispa y mordió a la defensa *blue* con sus amagos, sus regates y sus pases. En Stamford Bridge presenció otro gol de genio de Ronaldinho, que llegó tras un pase suyo. *Andresito* cazó un balón por los aires, dio un paso adelante, amagó una ligera intención de disparo y lo cedió al astro brasileño. Ronaldinho controló el balón y lo dejó "muerto", en el suelo. Hizo dos fintas sin tocar la pelota. Izquierda, derecha y tres defensores se le echaron encima. Entonces golpeó el balón con sutileza. El esférico voló adonde era imposible llegar para el portero. Petr Cech se quedó petrificado. Se coló por toda la escuadra. Sin embargo, no hubo manera de pasar la eliminatoria (2-1 y 2-4). Afortunadamente, aquella no sería la última visita a Stamford Bridge.

El Barça de Rijkaard perdió los dos encuentros más importantes del último tramo de la temporada, pero aun así no peligraba el título de Liga. Con la derrota en el Bernabéu (4-2), el Madrid se situaba a siete puntos del Barça, que mantuvo el *goal average* a favor. Los de azulgrana no bajaron el listón y se impusieron en casi todos los partidos pendientes. Cantaron el alirón frente al Levante, el 14 de mayo de 2005. Andrés se despidió de su "Alba" como titular en el Camp Nou, el mismo día en que Messi se estrenó como goleador con el primer equipo. El Albacete terminó colista y descendió a Segunda División para no regresar. A partir de entonces, la principal representación de Castilla-La Mancha en el fútbol español sería el propio Andrés. Y no estaba nada mal compensar el descenso de sus compatriotas celebrando la conquista del torneo doméstico que rompía, al fin, esa larga sequía que acumuló una buena capa de polvo en las vitrinas del FC Barcelona. El 17º título liguero se celebró por todo lo alto, con banderas, pancartas y las calles a rebosar de gente. Los cánticos azulgranas resonaban por toda la ciudad y por toda Catalunya. Tampoco faltó la correspondiente rúa de celebración por las calles de Barcelona, al día siguiente de ganarla. Andrés participó en un total de 46 partidos oficiales y jugó desde el primer minuto en 15 de ellos. Fue el hombre más utilizado por Rijkaard en la Liga, ya que participó en 35 de las 38 jornadas que conformaron el campeonato. Tal vez tenía razón aquel titular periodístico del año de su debut que calificó a Iniesta de talismán. El primer año que el entrenador decidió apostar por él y darle continuidad, aunque fuese como 12º hombre, el Barça volvió a tocar la gloria.

La clave de París

En una ocasión, Andrés Iniesta sorprendió con una curiosa comparación entre la Liga y la Champions League. Está recogida en su libro *Un año en el paraíso*, escrito en primera persona por el futbolista con la colaboración de los periodistas Sique Rodríguez y Dani Senabre. En su comparativa, Iniesta equipara la Champions a un amor fugaz y pasional, la mujer despampanante que te hace pasar una noche maravillosa. En cambio, la Liga es la pareja fiel a la que quieres y tienes que mimar durante el día a día. La que resulta de una relación larga, más difícil y, por tanto, más satisfactoria. Por eso mismo, asegura que el objetivo primordial siempre es la Liga. Pero no nos engañemos: ¿quién no querría toda una Champions League, aunque solo fuese por una noche?

La temporada 2004-2005 fue maravillosa. Se superaron los viejos fantasmas del pasado y la ilusión derrumbó el muro decadente que se había levantado con cinco años de sequía. La Liga era más que suficiente para lograr la reconciliación con una afición que vive por y para el equipo. Pero la realidad es que con la eliminación a manos del Chelsea, quedó una espina clavada. El Barça tenía una oferta futbolística muy superior a la del conjunto *blue* y se fue de vacío por falta de disciplina, por inexperiencia y, por qué no decirlo, por un poco de mala suerte. Con la fabulosa plantilla que había, aunque no se dijese demasiado alto, el objetivo era la Champions. La noche loca. Porque de una cosa no cabe duda, la Orejuda es el título más prestigioso de Europa. Además de ser la competición que lleva las emociones a su máxima expresión. Y es que el formato de eliminatoria siempre tiene ese punto eufórico y cruel que la Liga solamente deja entrever a final de temporada.

La consolidación de Iniesta en el Barça de Rijkaard iba viento en popa. Sin lograr hacerse con un sitio en el once titular, a sus 21 años iba a disputar su tercera temporada con el primer equipo. Y no solo eso, sino que ya estaba plenamente integrado y asentado en la plantilla. Se había hecho un hueco, con su trabajo, con su silencio y con su compañerismo, por méritos propios. Las sensaciones para la nueva temporada no podían ser mejores. Ni a nivel individual, ni colectivo. Con todos los fichajes realizados en los dos últimos años, apenas había que cambiar algunas piezas. Los lesionados también se fueron recuperando y el aspecto del conjunto era inmejorable. Ese mismo año, Messi se incorporaba definitivamente a la primera plantilla. La *Pulga* anotó ocho goles, más de los que Andrés consiguió meter en cuatro temporadas. En la 2005-2006, el manchego marcó solamente uno contra el Udinese, en Champions. La secretaría técnica solo consideró necesaria la incorporación de dos futbolistas: Santi Ezquerro y Mark van Bommel.

Van Bommel era un futbolista que se había labrado un nombre en Europa. Llegaba procedente del PSV para reforzar el centro del campo y tenía fama de ser un jugador duro, contundente y que además tenía gol. Era el álter ego de los centrocampistas que tenía el Barça, mucho más nítidos, más amigos del balón y menos fuertes físicamente. Sin embargo, la posición de pivote defensivo ya estaba más que cubierta con Edmilson y Márquez, que jugó de forma sobresaliente durante la campaña anterior haciendo de boya entra la defensa y la creación del equipo. Van Bommel, que solo duró un año, pasó a ser competencia directa de Iniesta. Sana, según reconoció el manchego años después, pero competencia feroz al fin y al cabo. Con los años, el holandés se convirtió en uno de los peores amigos que ha tenido Andrés en un terreno de juego, como rival. Así lo expresó el de Fuentealbilla en una rueda de prensa de 2011, previa a un Barça-Milan: "Con él, la convivencia aquí fue muy buena. Competíamos por un sitio, pero siempre desde esa competencia sana. Cuando nos hemos enfrentado en otros partidos hemos tenido algunas... acciones, pero no creo que mañana vuelva a ocurrir. No tengo nada en contra de él y seguro que él no tiene nada en contra mía. Si me toca, intentaré ponérselo difícil". Por su parte, Van Bommel también dio su punto de vista, sensiblemente irritado: "Nos jugábamos la final de la Copa del Mundo contra grandes futbolistas y todo el mundo quiere ganar. No tengo nada contra Iniesta, jugué con él durante una temporada. Hace ya un año de todo y yo lo olvidé en cuanto terminó el partido, supongo que Iniesta también lo olvidó. Es normal, así es el fútbol. Fuera del campo se olvida todo". Ante la insistencia de la prensa, Van Bommel se enojó: "Llevamos un cuarto de hora y ya van cuatro preguntas sobre Iniesta. ¿Acaso jugamos un España-Holanda?". Dicho esto, el moderador de la sala de prensa pidió por favor que no se hiciesen más preguntas sobre Iniesta.

El centro del campo ofensivo estaba más poblado que nunca en la era Rijkaard, con Xavi, Deco, Iniesta, Van Bommel, Motta y Gabri, incluso. Si en la temporada anterior, Andrés era el recambio fijo tanto del de Terrassa como del portugués, en el curso que empezaba tendría que compartir ese privilegio con el tosco Mark. Pero el manchego nunca se quejaba. Estando en el Barça, no tenía motivos para ello. Además, la lacra de las lesiones siempre ondeaba en el horizonte. Aquel año, el infortunio se cebó con el que menos lo merecía: Xavi. El 2 de diciembre de 2005 se rompió el ligamento cruzado anterior de la rodilla derecha y se perdió el resto de la temporada. Por segundo año consecutivo, las malas noticias en forma de lesión obligaban a Iniesta a dar un paso adelante y le abrían un abanico de minutos por disputar.

Pese a un inicio titubeante en la Liga, a partir de la jornada 8 los de Rijkaard encadenaron 14 victorias consecutivas. Fue el mayor récord de la historia de la competición hasta que lo vapuleó el Barça de Pep Guardiola cinco años más tarde, con 16 victorias seguidas. El combinado azulgrana arrolló con todo lo que encontró a su paso a excepción del Atlético de *El Niño* Torres. El amigo de Andrés le tenía cogida la medida al Barça. No así el Real Madrid, que hincó la rodilla en el Santiago Bernabéu (0-3). El 19 de noviembre de 2005 el público del Real Madrid se puso en pie y aplaudió más que nunca al Barça de

Ronaldinho. El combinado azulgrana desplegaba el mejor juego de Europa y recogía elogios allá por donde pasaba. El santuario madridista no fue una excepción. *Ronnie* dio la estocada definitiva al Madrid de los "galácticos", que no serían capaces de pelear dignamente por el título de Liga. Eto'o volvió a estrenar el luminoso, recordando a su amigo Iker que se había convertido en su peor pesadilla. ¿La peor? Lo cierto es que Ronaldinho le empezó a disputar el trono aquella noche. El ingenioso *jogador* de Porto Alegre marcó el segundo y el tercer gol en jugadas muy parecidas. Por banda. Por pura velocidad. Dejó sentados a Sergio Ramos, Míchel Salgado, Iván Helguera e Iker Casillas. Fue la magia de *Ronnie*, la que levantó a la hinchada merengue de sus asientos, rendidos a la evidencia. Iniesta entró al césped en sustitución de Messi para disputar los últimos 20 minutos, antes del tercer tanto del brasileño. Su aparición fue testimonial, porque el Madrid ya estaba hundido, pero "con su fútbol fácil contribuyó a bailar a los blancos", según recogió el *Mundo Deportivo*.

La aventura de la Champions sería más complicada. En octavos de final, el destino hizo de las suyas y sirvió uno de los rivales más temibles, el Chelsea de Mourinho que los había derrotado el año anterior. La hora de la venganza había llegado. El Barça era más maduro y disciplinado que hacía un año, pero seguía desbordando por talento y velocidad a todos sus rivales. Andrés prácticamente no participó en aquella eliminatoria. El protagonismo recayó sobre el joven Messi, que sentó a Giuly y trastabilló los planes del técnico luso con sus feroces arrancadas, que terminaron con la expulsión de Asier del Horno. El Chelsea marcó primero, pero la entrada de Larsson al terreno de juego cambió el partido por completo. Larsson estaba llamado a tener un papel vital en la competición europea y dio más libertad de movimientos a Ronaldinho, que logró el empate. El gol de la victoria lo puso Eto'o, que cabeceó para derribar el fortín de Stamford Bridge (1-2), donde los *blues* llevaban 49 partidos invictos. Iniesta jugó cinco minutos en los que no pudo aportar más que aguante de balón y su elegante categoría. Mourinho empezó a calentar la vuelta, indignado por la expulsión de Del Horno y afirmando que Messi había hecho "teatro del bueno". Ello originó un memorable cántico contra *Mou* que se puede escuchar siempre que pisa el Camp Nou: "Vete al teatro, Mourinho vete al teatro". En feudo azulgrana, el Barça se limitó a conseguir un empate (1-1). Un gol de genio y de fuerza de Ronaldinho, en el que derribó al basto Terry por el camino, fue suficiente para bajar el telón y consumar la venganza. Messi abandonó el partido a los 23 minutos por una lesión muscular, con lágrimas en los ojos, y fue consolado por Rijkaard. Iniesta no jugó ni un minuto. Seguía esperando su hora.

Y llegó en cuartos de final contra el Benfica, un rival muy inferior a aquel Barcelona de leyenda. Iniesta fue el mejor del partido, y eso que tuvo que jugar de pivote defensivo. "Líder y director de orquesta", le definía la prensa, rendida a su clase. Andrés volvió a la titularidad y jugó los 180 minutos de la eliminatoria más el clásico contra el Madrid, que cayó entre medias (1-1). Eran encuentros decisivos, y el manchego volvía a sentirse importante. Tras la victoria conseguida en el Camp Nou (2-0) con goles de

Ronaldinho y Eto'o y el pase a semifinales, los medios seguían destacando su categoría: "Cada día brilla más como pivote, robó balones y los entregó con criterio". El Milan de Ancelotti sería un hueso más duro de roer. Iniesta, otra vez como titular, tuvo que lidiar con futbolistas de la talla de Shevchenko, Pirlo, Seedorf, Gattuso, Inzaghi o Kaká. De regreso a su posición natural, con la recuperación de Edmilson, Andrés se acostumbró a compartir minutos con su teórica competencia, Van Bommel, y los dos respondían. El Barça se impuso en San Siro con un gol de Giuly (0-1) y rompió otra barrera, los italianos no perdían en competición europea en su feudo desde 2003. La prensa volvía a rendirse al manchego: "Extraordinario. El de Fuentealbilla se doctoró en San Siro". En el partido definitivo, el que daba acceso a la final, Rijkaard mostró su confianza en el manchego nuevamente. El descartado fue Van Bommel, y Andrés compartió el medio del campo con Deco. "Excelente", "Se ha reivindicado en esta eliminatoria", dictaban los titulares. El partido en el Camp Nou terminó sin goles y con la ansiada final asegurada. *Andresito* hizo lo que mejor sabe, dar pases, no perder balones y ayudar a los compañeros. Pero, además, volvió a destacar en la faceta de recuperador de balones. El de Fuentealbilla se consolidaba en la elite a marchas forzadas, pero con discreción. Rodeado de las mejores estrellas del mundo, su papel pasaba más desapercibido, pero era imprescindible.

17 de mayo de 2006, Saint-Denis, París. Había llegado la hora de la verdad. FC Barcelona y Arsenal iban a medir sus fuerzas en la final por el título más prestigioso de Europa, la Champions League. Rijkaard tenía que tomar la

decisión más difícil de todas: la alineación. Elegir los 11 nombres que van a disputar una final de Europa no es tarea fácil. Hay muchos factores a tener en cuenta. De un lado, el sentimental. ¿Quién se lo merece más por todo lo que ha aportado al equipo en los últimos tiempos? Del otro, el práctico. Las finales no se juegan, se ganan, y para hacerlo tienen que estar en cancha los más preparados. Entre todas las dudas que tenía Rijkaard, una sobresalía por encima del resto: ¿Van Bommel o Iniesta? ¿Su compatriota y más veterano futbolista o el chico mágico que llevaba el fútbol en la sangre y que se había ganado el corazón de los aficionados y el suyo propio? Difícil elección. Finalmente, el técnico holandés optó por la opción más conservadora: Valdés; Oleguer, Puyol, Márquez, Van Bronckhorst; Edmilson, Deco, Van Bommel; Giuly, Ronaldinho, Eto'o. En frente, tenían a futbolistas de la talla de Henry, Ljunberg, Pires o el joven canterano azulgrana Cesc Fàbregas. No fue el mejor partido del Barça, al menos durante el primer tiempo. Pero la fortuna se alió con el equipo a los 20 minutos de juego, cuando Lehman, el portero *gunner*, fue expulsado por cometer falta sobre Eto'o fuera del área en una jugada que había terminado con gol de Giuly, que no subió al marcador. El Arsenal, con uno menos, sacó fuerzas de flaqueza y fue capaz de ponerse por delante en el marcador. Henry puso un centro medido sobre la testa de Sol Campbell, que batió a Valdés. Curiosamente, Campbell pudo ser jugador del Barça en la etapa de Gaspart. Joan Lacueva negoció directamente con él, pero el futbolista formuló dos preguntas poco acertadas. La primera, si en Barcelona había buena carne, porque a él le gustaba mucho la carne. La segunda, si le dejarían viajar cada lunes a Londres, donde tenía algunos negocios personales que gestionar. La directiva azulgrana lo descartó al momento.

Rijkaard tiró de sentido común en el descanso. Volvió a los orígenes, al fútbol de primer toque y de verticalidad que les había llevado a la final. Iniesta entró por Edmilson con 45 minutos por delante, para cimentar la remontada. Solo 15 minutos después se incorporó Larsson. Con ellos, el partido cambió por completo. El Barça por fin se aprovechó de que tenía un jugador más sobre el césped. El destino quería que Larsson fuese tan generoso como decisivo. Más vital todavía fue la entrada al campo de Belletti, el lateral ofensivo del equipo. Seguramente, nunca han sido tan acertados los cambios realizados por un técnico para ganar un partido como aquel día. Y más tratándose de una final. Con 20 minutos por delante, el Barça consiguió el milagro. Larsson, un delantero centro puro, se vistió de asistente y regaló pases de ensueño a Eto'o, primero, y a Belletti, después. El camerunés era el que nunca fallaba, y tenía que marcar. Lo hizo tras ganar la espalda a su defensor en el flanco izquierdo. Gol. Empate. Locura. El brasileño fue el invitado sorpresa, el que nadie esperaba. Hizo lo mismo que Eto'o, pero por banda derecha. Conectó con Larsson, ganó la espalda y disparó. Gol. Con fortuna, pero gol. Más locura todavía. El Barça conquistaba la segunda Champions de su historia, 14 años después del gol de Koeman en Wembley. *Andresito* jugó 49 partidos aquella temporada, 23 de ellos como titular. Y fue clave en la conquista de todos los títulos. Pero especialmente en la final, gracias a su velocidad en la circulación de balón. Fue el timón que cambió el rumbo del partido. Participó en la jugada del primer gol y se encargó de no regalar balones. De servirlos con criterio. Su presencia le dio otra cara al equipo: la cara de la victoria.

En declaraciones tomadas de la completa recopilación de Giraldo y Gil para *Sport*, Eto'o y Rijkaard valoran la importancia de Andrés en aquella final. Su amigo camerunés asegura que fue la clave de aquella victoria: "Fue increíble. Salió el chaval y lo cambió todo. Levantó una cosa que estaba muerta. De no ser por él hubiéramos perdido y el Barça tendría una Champions menos. Andrés habló en el campo, no necesitaba hacerlo en otros lados. Pero no se quejó por no ser titular. Nunca lo ha hecho". El técnico holandés, por su parte, explica que la elección del once titular fue muy complicada: "En París tuve que tomar una decisión y fue muy duro dejarle en el banquillo. Tenía que pensar ante todo en el bien del Barça y sabía que contaba con un arma poderosa. Salió en la segunda parte y nos ayudó mucho en la victoria".

Ese mismo año, dos días antes de la final de París, Iniesta fue incluido en la lista de jugadores que participarían con España en el Mundial de Alemania 2006. Andrés ni siquiera había debutado con la absoluta. Pero no tardó en llegar el estreno, y no podrían haber escogido un escenario mejor: el estadio Carlos Belmonte. Sus últimos recuerdos como futbolista en su tierra eran muy buenos, pues marcó un gol con el Barça. Esta vez, llegaba a Albacete para cumplir un sueño. La selección de Luis Aragonés no fue capaz de pasar del empate sin goles ante Rusia y Andrés apenas jugó los últimos 45 minutos, así que no se puede decir que fuese el debut soñado que tuvo en las categorías inferiores. Pero era el debut al máximo nivel al fin y al cabo. En unos meses empezaba el Mundial, en el que iba a participar. Aunque aquel no era su Mundial. Con el 16 a la espalda —el 6 lo llevaba David Albelda—, tan solo jugó un partido del torneo, contra Arabia Saudita (0-1), cuando ya estaban clasificados para la fase de eliminatorias. La España de Raúl fue apeada de la Copa del Mundo a las primeras de cambio, en octavos de final contra la Francia de Henry y, sobre todo, de Zidane. Un equipo al que todo el mundo tildó de estar desahuciado antes de hora y que fue capaz de llegar a la final contra Italia, donde a punto estuvieron de ganar. España, una vez más, había pasado de puntillas por una competición internacional. Pero las cosas iban a cambiar muy pronto.

El destino iba con España

Andrés siempre ha creído en el destino. Considera que las cosas pasan porque tienen que pasar, que no responden a la mera casualidad. Al menos, es lo que él ha sentido a lo largo de su vida, con una serie de decisiones y situaciones que le han llevado adonde está ahora. A lo más alto. El destino ha tenido un papel importante en su carrera profesional. Cuando el Albacete no descendió a Segunda División, por ejemplo, en verano de 1995. Tenía que bajar por deméritos deportivos, pero los descensos administrativos del Celta y el Sevilla —que luego fueron readmitidos dando pie a la Liga de 22 equipos— lo mantuvieron en Primera. Ello permitió que Andrés jugase el torneo de Brunete por segunda vez, donde ganó el premio a mejor jugador y donde el Barça decidió que había que ficharlo. Quién sabe si todo aquello habría ocurrido con el "Alba" en Segunda. Incluso la inclusión de un viaje a Port Aventura con el premio del torneo tuvo un papel determinante. Si no se hubiesen desplazado hasta el parque temático, tal vez nunca habrían tomado la decisión de visitar las instalaciones de La Masía. Y aquella decisión fue vital para que Andrés eligiese ir a Barcelona. Dos años después, el destino quiso que fuese él, y nadie más, el autor del gol que le hizo ganar la Nike Cup del 99 al cadete B de Pedraza. Volvió a ser mejor jugador, conoció a Pep Guardiola y se llevó una inyección de moral que marcaría su trayectoria. Ese mismo año fue convocado por primera vez con la selección española, pasando por todas las etapas. El destino, más su talento innato, le echó un cable para hacerse un hueco en el primer equipo, con Rijkaard, y le reservó un papel determinante en la final de la Champions. Algo de lo que, por cuestiones del destino, no pudo gozar su amigo Xavi Hernández, que tendría que esperar su momento unos años más tarde.

Si bien el destino ha desempeñado algunas funciones esenciales respecto a la carrera deportiva de Andrés, también lo ha hecho en ámbitos más personales de su vida. La noche de San Juan de 2007 es un buen ejemplo, cuando el futbolista ya había cumplido 23 años. Familiar y sedentario, Andrés no tenía ninguna gana de salir de casa para festejar la verbena, típica celebración catalana del 23 de junio. La noche más corta del año siempre se convierte en una fiesta especial, con el sabor de las famosas cocas, el sonido atronador de los petardos y la luz mágica de los fuegos artificiales. Pero Andrés no estaba para fiestas. La temporada 2006-2007 había sido dura, tenía el cuerpo dolorido y la mente perdida en reflexiones. Sin embargo, un conocido suyo le había insistido mucho. Tanto que al final le convenció. Quizás no era tan mala idea salir y despejarse un poco. Andrés avisó a su amigo Jordi, que aceptó la propuesta. Primero fueron a un chiringuito del puerto de Mataró para encontrarse con quien los había invitado. Tras tomar algo relajadamente, fueron al polígono industrial de Pla d'en

Andrés Iniesta brindó una emotiva dedicatoria a su amigo fallecido Dani Jarque, tras marcar el gol más importante de la historia del fútbol español.

España derrotó a Holanda (0-1) en la final del Mundial gracias al gol que Iniesta consiguió en el minuto 116 de partido.

El otro gol más emblemático de Andrés fue con el Barça, el 12 de mayo de 2009, y sirvió para derrotar al Chelsea y alcanzar la final de la Champions.

Andrés Iniesta levanta la Copa del Mundo tras conquistar el Mundial de Sudáfrica con España el 11 de julio de 2010.

Xavi, Messi e Iniesta posan con los seis títulos conquistados con el Barça en 2009. Ese año los tres fueron finalistas al Balón de Oro.

Iniesta recriminó un mal gesto a Cristiano Ronaldo el 29 de noviembre de 2010, cuando el Barça ganó al Real Madrid por 5-0.

Iniesta levanta su tercera Champions, la cuarta del Barça, en el estadio de Wembley tras volver a ganar al Manchester United (3-1).

Andrés Iniesta, defendido por el mítico Andrea Pirlo, en la final de la Eurocopa de 2012 que ganó España a Italia (4-0).

El 30 de agosto de 2012 Andrés Iniesta es galardonado por la UEFA con el premio a mejor jugador de Europa, por delante de Messi y Cristiano Ronaldo.

Boet, una zona de bares y otros garitos del mismo municipio. Se decantaron por uno que se llamaba Theatre. Nada más entrar por la puerta, Andrés le comentó a Jordi: "¿Has visto esa morena?". Se había quedado eclipsado. Jordi ni siquiera había tenido tiempo de decir esta boca es mía. La camarera del local aquella noche era Anna Ortiz, la chica de la que se enamoró. Su compañera de viaje. La mujer de su vida. Tímido, y más en estas situaciones, Andrés consiguió su número de teléfono. Ser una estrella de fútbol puede facilitar algo las cosas, pero el manchego se lo tuvo que trabajar durante dos o tres meses antes de conquistarla. Actualmente, Anna y Andrés llevan seis años de relación y en verano de 2012 decidieron casarse, varios meses después de haberse independizado. El manchego se marchó de Sant Feliu de Llobregat para instalarse en Esplugues de Llobregat, uno de los pueblos vecinos, cerca de su familia. Andrés no duda en reconocer que Anna, igual que su hija Valeria, es de lo más importante que le ha pasado en la vida. "Tuve suerte otra vez... Anna me dio vida. 2007 fue un año duro. Personalmente estaba pasando un mal momento y ella me resucitó. Como persona es un diez. Yo poco puedo ofrecerle a cambio de lo que recibo", confesó Iniesta en el ya citado artículo de *El País*, con Besa y Martín.

"Yo creo en el destino, las cosas pasan porque tienen que pasar", sentencia el manchego. Pero también se sincera en otros aspectos, como el religioso: "Creo en Dios, pero no soy un fanático, en su justa medida. No soy practicante". Aunque no vaya a misa con asiduidad, Andrés siempre se santigua tres veces antes de entrar a un terreno de juego. Además, a modo de ritual, se toca con la mano la bota derecha y la izquierda. Curiosamente, en 2001 fue elegido de entre todos los jugadores del club que habían pasado o estaban en La Masía (unos 200) para representar a la institución en una visita al Vaticano, donde fue recibido por el entonces papa de Roma, Juan Pablo II. El viaje se realizó con motivo del centenario del Barça, una semana después de la Eurocopa sub-16 que ganó con España y donde fue lesionado por los alemanes. De hecho, lo eligieron a él, en parte, para animarle por lo mal que lo había pasado al no poder participar en la fase decisiva del torneo. Su "comportamiento, modestia y compañerismo" fueron los otros aspectos que se tuvieron en cuenta, según explicó el director de La Masía, Joan Farrés. Andrés entregó el libro del centenario del club al papa, que le dedicó unas afectuosas palabras. Años después, en su propio libro, Iniesta reconoció sin tapujos su creencia en Dios: "Me demostró que existe". Fue la conclusión a la que llegó después de lesionarse de gravedad poco antes de tener que disputar otra importante final europea, esta vez con el Barça. Pese a la lesión, y entre algodones, Andrés pudo jugar el trascendental partido, que tenía claro que no se iba a perder por nada del mundo.

Las dos últimas temporadas de Rijkaard en el banquillo son de triste recuerdo para el aficionado barcelonista. También para Iniesta, que lo pasó mal afectado por los resultados, poco antes de conocer a Anna. La campaña 2006-2007 fue especialmente dolorosa. Una Liga que parecía ganada se esfumó en el último suspiro. El empate en casa contra el Espanyol (2-2) y el famoso "tamudazo" supusieron decir adiós al torneo de la regularidad. Raúl

Tamudo, símbolo perico, marcó los dos goles de su equipo. El segundo, en el tiempo añadido, complicaba mucho las cosas al Barça para revalidar el cetro liguero. El Real Madrid se proclamó campeón en la jornada siguiente, la última, gracias al *goal average*. Tampoco se ganaron los títulos europeos: Supercopa, Mundial de Clubes ni Champions, apeados de la eliminatoria por el Liverpool en octavos. Fue el año del declive. El fin del exitoso ciclo de Ronaldinho y Deco, del Barça de Rijkaard. A pesar del golpe, parecía que las cosas no estaban "tan mal" y Laporta dio otro año de confianza al proyecto. La temporada 2007-2008 fue la del hundimiento definitivo. Todo terminó con una abultada derrota en el Santiago Bernabéu (4-1), con pasillo del Barça al campeón. En Champions, los de Rijkaard cayeron con honor, eliminados por la mínima en semifinales frente al Manchester United de un emergente Cristiano Ronaldo, a la postre campeón de la competición. Tras cinco años, el primer proyecto de Laporta tocaba fondo.

A nivel personal no fueron tan malos años para Iniesta. El manchego se aprovechó del bajón que experimentó el juego de Deco y se ganó un lugar en el equipo. También ayudó la salida de Van Bommel y que Xavi se estaba reincorporando poco a poco, tras su grave lesión. Pero Andrés se ganaba los minutos día a día. En la campaña 2006-2007 jugó más partidos que nunca, un total de 56. Salió de inicio en 41 encuentros, con lo que, por fin, se podía considerar uno de los 11 titulares. En esa temporada, Andrés también alcanzó sus mejores registros goleadores, con un total de nueve tantos (su récord personal junto con la temporada 2010-2011). El curso siguiente, el de la debacle final, mantuvo dígitos similares. Disputó 49 encuentros y presenció el pitido inicial sobre la hierba en 43 ocasiones. A nivel de goles menguó un poco y se quedó en cuatro. En esos dos años depresivos, Iniesta se consolidó. Seguramente pasó desapercibido, porque todo el mundo seguía pendiente de las antiguas glorias decaídas y de los problemas que se originaron en el vestuario. Por suerte para el Barça, el centrocampista volvió a hacer gala de carácter y aprendió mucho de aquella tensa situación. Había experimentado lo bonito que era ganar con el Barça y pudo conocer de más cerca que nunca la crueldad que se vive en el entorno cuando el equipo pierde.

En aquel lapso, Andrés pudo ser del Real Madrid. En el verano de 2006, justo después de ganar la Champions de París, sonó con fuerza que una de las candidaturas que se presentó a la presidencia del Real Madrid —sumido en una profunda crisis, el club blanco había convocado elecciones para sustituir a Florentino Pérez— tenía atado a Andrés Iniesta. El entrenador iba a ser José Antonio Camacho, paisano del centrocampista, al que le une una buena relación. El técnico manchego podía ofrecerle unos minutos que en el Barcelona todavía no había conseguido y había hablado personalmente con él. Juan Palacios era el presidente de la candidatura, derrotada por la de Ramón Calderón, y anunció el acuerdo una semana antes de las elecciones: "Tenemos a Andrés Iniesta". Nunca quedó claro si estaba realmente atado o si fueron solo negociaciones. El entorno de Andrés no llegó a desmentirlo ni a pronunciarse al respecto, pero Camacho fue contundente al asegurar que tenían un principio de acuerdo con el jugador: "Ha salido el último nombre que queremos. Sabíais que negociábamos por un centrocampista internacional y ha saltado el nombre de Iniesta. Si me preguntáis ahora no puedo decir nada pero solo puedo recordar que durante la campaña nadie me ha desmentido ni podrán hacerlo ahora". Palacios estaba dispuesto a pagar la cláusula del futbolista del Barça, cifrada en 60 millones de euros. Años después, Palacios insistió en la misma idea: "Teníamos una bomba que hicimos pública la última semana, que era Iniesta".

Nada de aquello se llegó a materializar y poco después Andrés tuvo el honor de marcar el primer gol de la historia del Barça con el logo de UNICEF en la pechera. La inclusión de la marca fue una decisión histórica para la entidad, cuya camiseta nunca se había "manchado" antes con publicidad. En el caso de UNICEF era distinto. De hecho, el Barça pagaba 1,5 millones anuales por lucir su logo. Fue un acto de generosidad, para demostrar los valores del club y su compromiso solidario. ¿Quién sino Andrés era el indicado para estrenar con un gol aquella camiseta? El manchego marcó en el minuto 7 del 12 de septiembre de 2006, fecha en que se firmó el acuerdo con UNICEF. Sería el primero de un total de cinco goles que recibió el Levski Sofia en el Camp Nou. Al final de esa misma temporada, en 2007, Iniesta se convirtió en el 8 del Barça. La salida de Giuly y los galones que había ganado en los últimos años le otorgaban peso suficiente como para poder elegir dorsal. El 4 siempre había sido su número en las categorías inferiores, pero lo tenía Márquez. Iniesta optó por el doble de 4, un número que también se correspondía mucho más con la posición que acabaría ocupando en el terreno de juego. Unes meses más tarde, el 25 de enero de 2008, Laporta renovó a Iniesta hasta el 30 de junio de 2014 y le hizo intocable con una cláusula de rescisión de 150 millones de euros. Se cerraba la etapa de la adolescencia futbolística, para entrar en plena madurez.

Aunque la madurez y el prestigio le llegaron con la selección española. Tras los dos últimos y grises años con el Barça, Luis Aragonés daría con la tecla para que Andrés se convirtiese, al fin, en verdadero protagonista del fútbol de elite. El 7 de junio de 2008 arrancaba la Eurocopa de Austria y Suiza. También con España eligió dorsal. Esta vez el 6, el mismo que llevaba cuando despuntó en Brunete por primer año. El 8 lo llevaba su compañero Xavi desde hacía unos cuantos años, y los futbolistas son muy supersticiosos para estas cosas. Si un número te da suerte, no lo cambies. Andrés, que se adapta a todo, optó por escoger un dorsal que también le agradaba, el que Xavi llevaba en el Barça. Desde entonces, los tienen cruzados.

El Sabio de Hortaleza fue la clave de esa selección porque supo encontrar la virtud de sus jugadores y potenciarla. Hasta entonces, Xavi, Iniesta y otros futbolistas menudos como Silva habían brillado por su talento y su clase futbolística, pero habían tenido que convivir con las críticas y la desconfianza de quienes los consideraban más débiles, sin cuerpo suficiente para poder aguantar partidos de máxima intensidad. Aragonés les convenció de que aquello no era así y de que el balón era su mejor amigo y su mayor arma. Si conservaban el balón, el rival no podría con ellos, por mucha envergadura y fuerza que tuviesen. Una vez aprendido a conservarlo, tenían que hacer con él lo que mejor se les daba: inventar. Al fin y al cabo, la esencia del fútbol y de cualquier otro deporte está en disfrutarlo. Aquellas palabras dieron alas a los más tarde denominados como los "locos bajitos". Locos, evidentemente, por las virguerías que hacían sobre el terreno de juego. Xavi fue seguramente el que más marcado quedó por los consejos del *Sabio*, y con el tiempo reconoció la importancia capital que Luis tuvo para él en la Eurocopa. Sin embargo, Andrés interiorizó la lección tanto como su compañero, hasta el punto de que supo asumir ese papel fundamental que le correspondía y que había tenido desde pequeño, acostumbrado a convivir con un talento y unas cualidades por encima del resto.

Con un once tipo compuesto por Casillas; Sergio Ramos, Puyol, Marchena, Capdevila; Senna, Xavi, Iniesta, Silva; Torres y Villa. Ya no estaba el último símbolo del fútbol español, Raúl. Aragonés tomó la decisión más difícil, y la más importante. Algo que contribuyó a repartir el peso del equipo en otros nuevos pilares: Casillas, Xavi y Puyol. Ese equipo de leyenda estaba acompañado además por suplentes de lujo como Cazorla, Fàbregas, Xabi Alonso, Reina, Palop, Dani Güiza, Sergio García, Arbeloa y Albiol, entre otros. En pocos partidos se convirtieron en la sensación del campeonato por su fútbol vistoso, alegre y efectivo. No perdieron ningún partido y arrollaron desde la primera fase: Rusia (4-1), la Suecia de Ibrahimovic (2-1), Grecia (2-1). Pero llegaron los octavos contra el rival más temido: Italia (0-0). Toda España sentía la agonía en el cuerpo. "Otra vez en cuartos para casa... Nunca pasamos de cuartos", pensaban muchos aficionados. Pocos contaban con que el destino estaba, por fin, del lado de España.

Casillas se vistió de santo y destronó al infalible Buffon. Villa, Cazorla, Senna y Cesc marcaron los penaltis de la victoria. En semifinales volvía a tocar Rusia, convertida en la revelación del torneo con permiso de España. Arshavin y compañía pasaron por encima de Holanda, una de las favoritas. Pero la selección española los arrolló por segunda vez (0-3) con tantos de Xavi, Güiza y Silva. La final fue una especie de *dejà vu* para Fernando Torres. Sin suerte cara a portería en todo el torneo, la faceta goleadora había recaído esencialmente en el *Guaje*, autor de cuatro goles. Seguramente le vinieron a la cabeza los recuerdos de su gol decisivo en el Europeo sub-16 contra Francia, cuando Iniesta estaba lesionado y *El Niño* marcó el gol de la victoria. En la final del 29 de junio de 2008 en el Ernst Happel Stadion de Viena esperaba Alemania. Faltaba Villa por lesión y Aragonés apostó más que nunca por la técnica y lo que con el tiempo sería conocido como el *tiki taka*. Cesc entró en lugar de Villa, formando un centro del campo de artesanos con Senna, Silva, Xavi e Iniesta. El gol de Torres los encumbró (0-1). España enloqueció. Quedaba muy lejos la única Eurocopa de la historia española. El último título internacional de La Roja databa de 1964. Hicieron falta 44 años y una generación de jóvenes y *bajitos* futbolistas para saborear la victoria. Todos coincidieron en que la clave fue superar la eliminatoria contra Italia. Los cuartos de final eran la gran losa. Hasta que dejaron de serlo.

Iniesta se consolidó en aquella Eurocopa como interior izquierdo, la posición que ocupa en la actualidad, salvo excepciones contadas. También se convirtió en el talismán de la selección. Una vez más, daba buena suerte.

Todo comenzó con un gol suyo de videojuego ante Inglaterra, en el amistoso disputado en Old Trafford en febrero de 2007. Era su primer gol con la absoluta. España encadenó más de dos años sin perder ningún partido hasta que Estados Unidos eliminó al equipo español en semifinales de la Copa Confederaciones, el 24 de junio de 2009. En el caso de Iniesta, el récord de imbatibilidad venía del partido anterior al de Inglaterra, disputado en la Nueva Condomina contra Argentina (2-1) y con goles de Xavi y David Villa. Y, curiosamente, Andrés no fue a la Confe Cup por lesión aquella temporada, con lo que no sufrió la derrota ante Estados Unidos. Andrés estuvo un total de 36 partidos sin conocer la derrota con España. Su racha no se cortó hasta el primer encuentro del Mundial de 2010 contra Suiza (0-1), también en Sudáfrica. Un amargo tropiezo a corto plazo, por las críticas que generó, pero que no tendría ninguna trascendencia. En ese periodo, Aragonés abandonó su cargo y fue sustituido por Vicente del Bosque.

Con el tiempo, Andrés reconoció que la temporada 2007-2008 había sido su mejor año hasta ese momento con el Barça, pero el hecho de no ganar nada amargó esa sensación. Estaba frustrado porque, pese a ganarse un sitio como indiscutible de la primera plantilla, los éxitos no llegaban. La Eurocopa fue un antídoto reconfortante para él. Se dio cuenta de que el triunfo no estaba tan lejos, de que podía llegar con él como pieza imprescindible. El título europeo repercutió en una dosis de confianza en sí mismo que necesitaba. Fue el empujón que le faltaba para llegar a lo que es hoy en día. El destino se había vuelto a poner de su lado.

Las apariencias no engañan

Con Andrés Iniesta toma sentido el dicho de que las apariencias engañan. A primera vista, el centrocampista no ofrece la imagen habitual de futbolista mediático. Menudo y delgado, Iniesta apenas alcanza los 1,70 metros de estatura y su peso no sobrepasa los 65 kilos. El blanco de piel que heredó de su madre contrasta con el moreno, natural o buscado, de muchas estrellas del panorama internacional. No tiene tatuajes. Sus canas y su principio de calvicie quedan lejos de los peinados extravagantes inundados en gominas u otros productos de estética semejantes. Si a ello le sumamos su comedida manera de vestir, nos encontramos ante una persona como tantas y tantas de las que nos podemos cruzar por la calle, en el metro, en la universidad o en el trabajo. Una presencia en la que apenas repararíamos de no ser porque se trata de uno de los mejores deportistas del mundo.

En este sentido lo describió Pep Guardiola en una rueda de prensa de 2009: "Andrés come aparte. Yo siempre lo pongo como ejemplo para las generaciones del fútbol base. Que se miren en él... En mucha gente, pero sobre todo en él. Porque no lleva pendientes, no se peina el pelo, no se pinta el pelo... Todos saben que es el mejor y juega

20 minutos y no se queja. Lo pongas donde lo pongas no se queja, y siempre juega bien, y siempre entrena bien. Y cuando está lesionado, está de mal humor porque quiere volver y quiere ayudar. Y esa gente no tiene precio. Que el Barça tenga un jugador como Andrés no tiene precio. Nos ha ayudado mucho, nos va a ayudar... y luego es que es muy bueno". Al de Santpedor, su otro ídolo de infancia, se le "caía la baba" cuando hablaba de Andrés.

En cambio, podría decirse que las apariencias no engañan cuando hablamos sobre la personalidad de *Andresín*, como le llamaba el profesor Juárez. Claro y transparente como el agua, todo el mundo que le conoce coincide en señalar que es idéntico a lo que transmite. La idea es simple: es muy buen tipo. Un futbolista sin egos, que siempre ha llevado incrustado en lo más profundo de su ser el concepto de equipo, palabra imprescindible para llegar al éxito en un deporte que presenta tantas exigencias. Algo que no solo habla de él como futbolista, sino como persona. Pero que no se confunda nadie. La bondad y la templanza que le caracterizan no quitan que Iniesta también sea un hombre con carácter, de ideas claras, que sabe lo que quiere y lucha por ello. De hecho, lleva haciéndolo desde los 12 años. Quizás, Andrés no sea un tipo de muchas palabras, pero cuando habla, el vestuario le escucha. Porque además de hacerse querer, y mucho, también se hace respetar. "Yo noto que me respetan y creo que, además de por mi juego, es porque transmito la sensación de que nunca me río de nadie en el campo", explica Iniesta en su libro *Un año en el paraíso*, la mejor radiografía de cómo vivió y sintió el año del triplete.

Esa visión de Andrés como persona y como jugador de equipo es algo que su padre siempre ha tenido muy presente: "Andrés transmitía que era muy bueno en el terreno de juego, pero había que ver otras cosas. Cómo era a nivel personal. Algo que también representaba bien. Tenía un sentimiento de juego colectivo sobresaliente. Andrés fue gustando a la gente porque no intentaba sobresalir tanto a nivel individual. Siempre pensaba en el equipo. Todos los años se daba un premio al mejor compañero de la plantilla, votado por los demás compañeros y entrenadores, y siempre le votaban a él. Pero siempre ha sido pequeñito, y entonces era un fútbol que se veía desde una perspectiva más física. La gente te decía 'Este chico es un genio del fútbol', pero generaba dudas por su físico, por su estatura... Los demás chavales eran más grandes. Era el mayor talento que habían visto en los terrenos de Albacete, pero no sabían cómo se iba a desarrollar".

Es el genio discreto. Genio, dentro y fuera del terreno de juego. Discreto, solamente fuera. Por mucho que lo intentase, sería incapaz de pasar desapercibido en un estadio de fútbol. Hablar de Iniesta sobre el césped es hablar de elegancia, de técnica, de clase, de control, de visión de juego, de velocidad, de regate, de la *croqueta*, de agilidad, de destreza, de plasticidad, de pase y de último pase. Incluso de gol, aunque no los meta en demasía. Los mete cuando hay que meterlos y eso es lo que queda en la memoria. Hablar de Iniesta fuera del campo es hablar de humildad, de generosidad, de sensatez, de personalidad, de timidez, de sensibilidad, de familia, de compañerismo, de solidaridad, de perfeccionismo, de cabezonería, de tesón y de sacrificio. Tan discreto es que en una ocasión una señora le confundió con un camarero. Andrés, pensando que bromeaba, le siguió el juego y le dijo que sí, que él era camarero. Entonces, la mujer le preguntó, seria, si le podía dar mesa. En ese momento, Andrés terminó con la comedia: "Estaba de broma, no soy camarero".

De la mano de Guardiola, Andrés desarrolló definitivamente todas sus cualidades. Tanto en la cancha, como en la faceta personal. En la temporada 2008-2009, tras haber superado por la mínima una moción de censura y con su cargo como presidente contra las cuerdas, Laporta tomó la decisión más difícil: sustituir a Rijkaard y dejar el equipo en manos de Guardiola. Un hombre de la casa, querido por la afición, pero con solo un año de experiencia como entrenador, en Tercera División con el Barça B. Pep ganó la liga con el filial y logró el ascenso a Segunda B, pero el desafío de entrenar al primer equipo del Barça eran palabras mayores. "Me siento fuerte, creo que estoy preparado para este reto y creedme que si no lo sintiese no estaría aquí. Le tengo demasiado respeto a esta institución como para sentarme aquí sin sentir que estoy preparado", dijo Pep en su discurso de presentación. También aseguró que no prometía títulos, pero sí esfuerzo, dedicación y mucho trabajo. "Guardiola nos perdonaría cualquier error, pero no nos perdonaría que no nos entregásemos en cuerpo y alma al Barça", opinaba Andrés. Antes de comenzar, ya tenía fe ciega en el míster: "Desde el día que me enteré de quién iba a ser el entrenador del primer equipo, estaba convencidísimo de que algo grande iba a pasar".

Stamford Bridge

Guardiola se hizo cargo de una de las mejores plantillas del mundo y puso fin a la etapa de Ronaldinho y Deco, a los que no dio continuidad. Lo mismo intentó hacer con Eto'o, pero el club no consiguió encontrarle una salida al camerunés y se quedó un año más en el equipo, donde fue vital para hacer historia con sus goles. Otros nombres importantes que había en el equipo y que se habían incorporado en el ocaso de Rijkaard eran Thierry Henry, Yaya Touré y Éric Abidal. Tres piezas que se tornarían en imprescindibles durante el primer año de Guardiola, aunque el lateral izquierdo galo, con el 22 a la espalda, asumiría más protagonismo en el futuro, al representar una de las mayores historias de superación jamás vividas en el mundo del deporte. Símbolo del Barcelona y del deporte mundial. Guardiola tuvo que desempeñar una función distinta con cada uno de ellos, pero en aquella primera temporada, Pep supo sacar lo mejor de los tres, así como de algunas de sus primeras incorporaciones como técnico: Dani Alves, Gerard Piqué, Seydou Keita y dos canteranos que habían vivido la aventura en el filial, Sergio Busquets y Pedro Rodríguez.

Según declararía el propio Iniesta unos meses después, Guardiola era muy diferente a la figura de Rijkaard.

Con estilos de juego similares y talante dialogante en los dos casos, el de Santpedor era más metódico. De hecho, se podría decir que era una mezcla de los dos técnicos que más le habían marcado. Cruyff, el que le dio la oportunidad de jugar en la elite, es el mejor entrenador que ha tenido nunca, según reconoce el propio Pep. De él, principalmente, "mamó" toda la pasión que siente por el juego de ataque. El otro técnico era Van Gaal, el mismo que confió en Xavi e Iniesta por vez primera. El holandés era mucho más disciplinado que Cruyff, aunque también apostaba por el fútbol ofensivo, y fue vital para que Guardiola aprendiese a mantener el orden en un vestuario plagado de estrellas y a imponer la disciplina táctica en el terreno de juego.

El periplo de Guardiola en la Liga no comenzó como se esperaba. A pesar de llevar a cabo una pretemporada inquebrantable, el Barça empezó la Liga con una derrota (1-0 en Soria contra el Numancia) y un empate (1-1 ante el Racing en casa). Pero a la tercera iba a ir la vencida, y el Sporting del maestro, tristemente fallecido, Manolo Preciado pagó los platos rotos y fue testigo del nacimiento del mejor Barça de la historia y, posiblemente, del mejor equipo de fútbol de todos los tiempos. Un abultado 1-6 dio las primeras muestras del potencial del *Pep Team* y Andrés puso su granito de arena no solo con su fútbol irresistible, sino con uno de los goles. No había ninguna duda de que Andrés era una de las piezas inamovibles de aquel proyecto, junto con sus amigos de la cantera Valdés, Puyol, Xavi y Messi, los cinco jugadores más intocables durante la *era Pep*. A ellos se unirían rápidamente Piqué y Busquets, ambos incorporados a la primera plantilla aquella temporada para formar la base del mejor equipo del mundo y de la selección española. A partir de ahí, las victorias se convirtieron en una constante y cuando llegó la hora del denominado *Tourmalet* —símil periodístico que se buscó para comparar esa fase de la temporada con la etapa más dura del Tour de Francia—, el huracán Barça causó estragos entre sus principales competidores: Sevilla (0-3), Valencia (4-0), Real Madrid (2-0) y Villarreal (1-2). Iniesta, atacado por las lesiones en noviembre y diciembre, no pudo jugar en ninguno de los cuatro partidos y se pasó dos meses en dique seco. En total disputó 43 encuentros, 38 de inicio. Marcó cinco goles.

La mejor versión de aquel Barça de ensueño llegó en el último tramo de la temporada, donde se juega el todo por el todo. Después de haber maltratado a históricos europeos en octavos y cuartos de la Champions —en el Camp Nou, el Olympique de Lyon recibió un 5-2 y el Bayern de Múnich un 4-0—, llegó el turno del Chelsea. Entrenados por Guus Hiddink, los *blues* fueron un fortín en el Camp Nou y consiguieron salir ilesos (0-0). La vuelta en Stamford Bridge se presentaba como el gran reto del año. Pero el fin de semana antes se tenía que decidir la Liga en el Santiago Bernabéu. No se recuerda una exhibición semejante en el coliseo blanco desde el 0-5 de Johan Cruyff en 1974. El partido de la jornada 34 cayó en una calurosa tarde de sábado, el 2 de mayo de 2009. El Madrid podía ponerse a solo un punto del Barça si ganaba en su feudo, como decían las apuestas y como presagió el entonces presidente en funciones del club blanco, Vicente Boluda. "El Barça nos saca un punto", atajó el presidente del famoso "chorreo" dando por hecho que la victoria se quedaba en casa. Y por un instante parecía que iba a tener razón. Los Valdés, Puyol, Piqué, Alves, Abidal, Touré, Xavi, Iniesta, Messi, Henry y Eto'o encajaron el primer gol a los 14 minutos. La respuesta de los de Guardiola fue inapelable: Henry, Puyol y Messi pusieron el 3-1 antes del descanso. Al inicio del segundo tiempo se repitió la misma historia. El Madrid se avanzó a los 10 minutos a través de Ramos. Pero otra vez Henry y otra vez Messi ampliaron más las diferencias. Piqué culminó una noche histórica con el último gol (2-6). Andrés disfrutó como un "animal" del partido, a pesar de que no pudo marcar. No importaba nada, estaba gozando como un niño aquella temporada. Se sentía importante, el equipo ganaba y él escribía poesía con cada quiebro, con cada pase, con cada recorte.

Lo primero que hizo Andrés tras terminar el partido, como era habitual en él, fue llamar a los suyos, exultante. José Antonio Iniesta pudo ver el partido casi al completo. Sufridor y nervioso, no le gusta seguir según qué partidos porque lo pasa muy mal. Solamente disfruta de los partidos en que el Barça va perdiendo, porque las cosas ya no pueden ir peor. Entonces, se engancha al televisor y anima como el que más. A partir del primer gol de los blancos, el padre de Andrés pudo ver el partido en busca de la remontada. Aunque tardó muy poco en producirse. Curiosamente, Andrés se acordó de él después de ver que Higuaín batía a Valdés. "Al menos podrá ver casi todo el partido", pensó el 8 del Barça. Esa es una de las manías más fuertes de José Antonio. Aunque tiene otra que comparte en parte con su hijo, aunque parezca imposible: no les gusta volar. De hecho, no hay forma humana de que José Antonio coja un avión. Andrés no tiene opción, su oficio le obliga a volar constantemente, y no le gusta nada: "Odio coger aviones. Es lo que menos me gusta de mi profesión. Mis padres se suelen reír y me dicen que el problema es que me gusta mucho tocar con los pies en el suelo".

Con inmejorables sensaciones, el 6 de mayo llegó la hora del Chelsea. Aunque la exhibición del Bernabéu no beneficiaba demasiado. Si ya se habían encerrado en el Camp Nou, después del 2-6 iban a construir una perfecta muralla infranqueable. Y más, tras el gol del Chelsea. Essien marcó a los diez minutos y el partido se ponía cuesta arriba. Fue uno de los días más espesos del Barça, ese típico partido que llega tarde o temprano en que no sale nada. Alves estuvo calamitoso con los centros al área, se le iban a las nubes. Mientras, Drogba no paraba de generar peligro, entre polémicas con el árbitro Tom Henning Ovrebo. A los 67 minutos, Abidal era expulsado y la situación se tornaba preocupante. Pero solo hacía falta un gol y el Barça era fiel a su estilo: tener el dominio del balón. Los minutos fueron pasando y la angustia iba en aumento. El equipo que mejor jugaba de Europa se iba a quedar a las puertas de la final. El partido entró en el tiempo de añadido y en el palco privado del Chelsea los camareros descorchaban botellas de cava para celebrar el sufrido pase a la final. Lo tenían todo a punto para saborear la segunda final consecutiva de un club que nunca había ganado la Champions y que se podría reponer de la derrota por penaltis de la temporada anterior ante el Manchester United, verdugo azulgrana. Cuando ya parecía todo perdido para Guardiola y los suyos, llegó el momento que Andrés había estado esperando toda la vida. La decisión de abandonar Albacete, los llantos en La Masía, el esfuerzo por imponer la técnica al físico, los años de suplente con Van Gaal, Antic y sobre todo con Rijkaard esperando una oportunidad, las noches de sufrimiento, de no poder dormir, de "comerse el tarro"... Muchísimas sensaciones enfrentadas que hacían que de repente todo valiese la pena. Al fin, todo iba a cobrar sentido. Corría el minuto 93 y Alves puso un último centro al área del Chelsea, Eto'o no pudo controlarlo y perdió el balón, que llegó a pies de Essien. El autor del gol tampoco acertó a despejarlo y Messi se hizo con el esférico. Sin hueco, tapado por tres hombres, optó por pasarlo a Iniesta, que estaba situado en la frontal del área, en la media luna. Andrés chutó "con el corazón". "Con toda mi alma", dijo al finalizar el duelo. El balón voló, como un misil perfectamente teledirigido a la escuadra derecha de la portería defendida por Petr Cech. Golpeó tal y como venía, raso, como cuando jugaba a una *alemana* en Fuentalbilla con los chavales del pueblo. Y lo puso donde nadie podía llegar, haciendo del todo estéril la estirada del portero (1-1). Salió corriendo por la banda como poseído en un éxtasis de felicidad blaugrana, se quitó la camiseta y la hondeó como si se tratara de la bandera de la victoria y se tiró sobre el saque de esquina para que todos sus compañeros se volcasen sobre él en una montaña de gente. El primero en llegar fue Bojan y, en una décima de segundo, Andrés tuvo tiempo de recordarle "las entradas", con motivo de una apuesta en que el *Noi de Linyola* le prometió que si marcaba en Stamford Bridge le regalaría varias entradas para la final de la Champions. Y vaya que si marcó. Andrés se las pidió antes de saber si estarían en Roma. Seguramente porque en el fondo lo sabía. Porque él tiene un sexto sentido para estas cosas. Cosas del destino. Valdés, Eto'o, Puyol, Xavi... Todos sus amigos se tiraron encima de él y le empaparon de cariño. Le repetían constantemente algo que Andrés nunca olvidará: "Te lo mereces". El manchego se llenaba de orgullo cuando escuchaba esas tres palabras, consciente de todo lo que había luchado para vivir un momento así. Especialmente emotivo fue el abrazo con Víctor, su amigo desde la infancia y el salvador del partido. Igual que hizo en París 2006, sus paradas fueron vitales para alcanzar la final soñada. También fueron especiales las lágrimas de Sylvinho. El brasileño, sin hacer demasiado ruido, había demostrado un compromiso incalculable con el equipo y un compañerismo fuera de toda duda. Se había convertido en uno de los mejores amigos de Andrés en el vestuario y lloró de alegría por su amigo. Guardiola también se abrazó a Iniesta durante unos largos e intensos segundos. Muchos culés lloraron y muchos otros, entre ellos algunos de los que lloraban, lo celebraron de otra forma con sus respectivas parejas. Un estudio de la emisora Com Radio entre las clínicas de Barcelona demostró que nueve meses después del *Iniestazo* la natalidad en la capital catalana había crecido un 45 por ciento con respecto a la misma época en años anteriores. Aquel día *Andresito* se convirtió en *Don Andrés* y su nombre quedó por siempre grabado en la leyenda del FC Barcelona.

Pero la historia no acaba aquí. La vida continuaba y tenían que llegar dos finales y la conquista de la Liga, pendiente de cerrar los últimos flecos. Sin embargo, de la radiante alegría que sentía, en poco tiempo Iniesta pasó a la tristeza más absoluta. Se lesionó contra el Villarreal, al siguiente partido de convertirse en un héroe. Un pinchazo muscular en el recto anterior de la pierna derecha, de esos que al momento te indican que debes parar. Terminó el partido con la jugada de la lesión. Andrés se fue llorando al vestuario, hirviendo por dentro, lleno de rabia. La llamada a sus padres fue desoladora, se hundieron. Andrés se perdió la final de la Copa del Rey (1-4), vivió la conquista de la Liga lesionado y en su cabeza creció una obsesión: llegar a la final de Roma como fuese, "aunque tuviese un agujero en la pierna". Le costó sangre, sudor y lágrimas, pero consiguió recuperarse para estar mínimamente bien, aunque le mataban por dentro las punzadas de dolor.

Llegó la fecha señalada: 27 de mayo de 2009. Antes, se había celebrado el título de Liga en el Camp Nou. Iniesta, micro en mano, se dirigió a todo el estadio. A rebosar de aficionados, los gritos coreando su nombre no le dejaban hablar. Se había convertido para siempre en un ídolo. Cuando bajaron los decibelios, se dejó llevar. Nervioso, no pudo evitar hacer la promesa que todo el mundo esperaba: "Me alegro mucho de que hayáis disfrutado tanto con el equipo y nos vemos el jueves con la Champions aquí. *Visca* el Barça, *visca* Catalunya y *visca* Fuentealbilla". Mensaje premonitorio, sin duda. No hace falta decir que sus palabras se cumplieron. Igual que sabía que iban a llegar a la final, también sabía que iban a ganarla. Viajaron con el mismo avión que los llevó a París en 2006 y la noche antes del partido pudieron pasarla con sus parejas, en contra de la norma habitual. En el Estadio Olímpico de Roma, el Manchester United que les eliminó en la última temporada de las semifinales se convirtió en un muñeco en manos del Barça. Aunque empezaron mejor los ingleses, con ocasiones peligrosas de Cristiano Ronaldo, el Barça hizo su trabajo. Eto'o, cómo no, volvió a cumplir en su cita con el gol. Y Messi, el futuro Balón de Oro, se encargó de poner la puntilla de cabeza, con un salto impresionante (2-0). Andrés salió como titular. No estaba bien, pero podía jugar. Eso sí, le prohibieron chutar a portería. Una acción de ese nivel de tensión podía acabar de romperle el muslo.

Andrés se desquitó de la última final en el Parque de los Príncipes de Saint Denis, donde no pudo ser titular. En aquella ocasión lo fue, pese a que estaba mucho más mermado físicamente. Se lo había ganado a pulso. La victoria le hizo compartir un momento especial con Henry. El francés jugó su mejor temporada en el Barça para conquistar el título que el propio Barça le arrebató de las manos en 2006 y que aún no tenía. El portador del dorsal de Cruyff, el 14, también sufrió para recuperarse de una lesión y poder estar en Roma. Objetivo conseguido. El triplete (Copa, Liga y Champions) era una realidad. En la celebración, Andrés se disfrazó de una especie de superhéroe culé, con la camiseta del Barça a la inversa, para que se viese bien el número 8, y envuelto en sendas banderas de Catalunya y Castilla-La Mancha, con una bufanda azulgrana en la cabeza. Volvieron a pasarle el micro.

Irradiaba felicidad. Esta vez no habría promesa, pero sí una pequeña sorpresa. Nunca ha escondido que además de castellano-manchego se siente catalán, porque es la tierra en la que ha pasado la mayor parte de su vida. Así que habló en catalán: *"Bona nit afició. Visca el Barça, Visca Catalunya y Visca..."*, las 80.000 personas que estaban en el estadio corearon a la vez: "¡Fuentealbilla!". Fue un momento mágico. Para terminar, mostró su júbilo incontenible: "Soy el hombre más feliz del mundo. Estas copas son solo el principio. Si queréis más, ¡que el míster siga más años!".

Tocar fondo y ganar el Mundial

8 de agosto de 2009. Un paro cardiaco se lleva por delante la vida de Dani Jarque, a los 26 años. Recién nombrado capitán del Espanyol, Jarque estaba concentrado en Florencia con el equipo, en plena pretemporada. Tenían la tarde libre y el defensa decidió quedarse en el hotel. Sobre las 22.00 horas mantenía una conversación telefónica con su novia, embarazada de ocho meses, cuando le dio un infarto y dejó de responder. Ella consiguió contactar con uno de los compañeros de habitación de Jarque, Ferran Corominas, que avisó a los servicios médicos. No se pudo hacer nada.

Andrés estaba concentrado con el Barça en la gira por Estados Unidos. Trabajaba duro para reponerse de la lesión que le amargó el desenlace de la temporada y casi le deja sin jugar la final de la Champions. Minucias comparadas con la noticia que acababa de llegar a sus oídos. Se quedó paralizado. Uno nunca está preparado para digerir una información de este tipo. Andrés tenía un fuerte vínculo de amistad con Dani, desde que coincidieran en la selección española sub-15. Eran compañeros con España y rivales en Barcelona, ambos representantes de Barça y Espanyol respectivamente desde las categorías inferiores.

Su padre le llamó por la noche para ver cómo estaba: "Le noté tocado. Él no es de expresarse... Pero le noté muy tocado. 'Chico, la vida es así... Un día estás y otro no', le dije. Pero él estaba muy pesimista, se le clavó algo que le dio que pensar. 'Es todo una mierda', me decía". Andrés tenía una relación especial con Jarque. Conectaron desde que se conocieron, y con la sub-19 ganaron el Europeo en Noruega. Pero su relación iba más allá del ámbito deportivo. Eran amigos. A veces quedaban para jugar al futbolín. También coincidieron en algún acto publicitario con Nike, marca que los vestía a los dos. Allí se reían, hacían bromas en los tiempos muertos en que los directores artísticos y de producción limaban asperezas y buscaban el enfoque adecuado. Se llevaban muy bien. En la línea de Andrés, que siempre tuvo facilidad para caer bien, con su humor irónico y poco ruidoso. Generaba una especial predilección por él entre la gente con carácter, como era el caso de Dani. Cada vez que se enfrentaban, intercambiaban las camisetas. Siempre con él. Tenían muchas el uno del otro, 20 por lo menos, según confesó el propio Andrés en una carta que escribió desde el fondo de su corazón, a finales de octubre:

Hola Dani,
Ante todo quiero decirte que te echaré mucho de menos. Me reprocho a mí mismo no haber insistido en vernos más veces y poder hablar más a menudo. Uno no se hace a la idea que la vida pueda ser tan injusta como para dejarte sin un amigo como tú. Por eso, me alegro de no haberte robado ese tiempo que de bien seguro has aprovechado con tu familia y tu mujer, que es lo que

más querías y sigues queriendo. Me quedo con tantos y tantos momentos que hemos vivido juntos, las charlas que teníamos en las concentraciones sobre cosas ajenas al fútbol. Desde los partidos en categorías inferiores, cuando hemos coincidido en la sub-15 y la sub-17, cuando ganamos el oro en el Europeo sub-19, la clasificación con la sub-21 y todos los derbis que hemos compartido ya en el primer equipo. Antes de viajar a la gira americana, donde nos informaron de tan triste noticia, repasé mis camisetas guardadas y entre ellas tengo, al menos, 20 tuyas. Siempre nos la cambiábamos porque era la tuya la que quería tener cada año, tanto en el partido de ida como en el de vuelta. Hemos sido rivales pero siempre te he apreciado de corazón. Cuando me preguntan por tu equipo, el RCD Espanyol de Barcelona, siempre digo lo mismo: en el Espanyol tengo grandes amigos, y uno muy especial, y esto está por encima de cualquier rivalidad. Te echaré de menos, Dani, mucho. El próximo derbi será difícil. Allá donde estés sé que cuidarás siempre de los tuyos, de tu familia y que animarás fuerte a tu equipo. ¡Hasta siempre amigo!

Aquella sería la temporada más difícil de Andrés. El proceso de recuperación, que parecía ir por buen camino, se convirtió en una tortura. Tuvo un cambio de actitud. Estaba más decaído que nunca y su gente estaba encima, se preocupaba por él. Todos le cuidaban. Pero su mente estaba a otros asuntos. No es que no trabajase para recuperarse. Al contrario, se esforzaba en cuerpo y alma. Pero había algo en su cabeza que no funcionaba. Así lo trata de explicar su padre: "Andrés había sido inmaculado en el tema de las lesiones. Hasta ese momento. No fue una lesión, era un tema mental. Psicológicamente no estaba preparado. Lo de Jarque se lo comió por los cuatro costados. El que conoce a Andrés del día a día sabe que es muy sentimental, le afectan las cosas mucho más que a la gente normal. Es sensible de nacimiento. Él se ha curtido y ha madurado porque la sociedad te curte. Los años son jodidos, cumples muchos, te haces viejo pero aprendes muchas cosas. Él ha aprendido mucho con los años, pero si hay algo que no ha perdido es la sensibilidad, desde que nació hasta la fecha de hoy".

Ese mismo año, abandonaron el Barça dos de sus mejores amigos, Sylvinho y Eto'o. El caso del brasileño fue más llevadero, tenía 35 años y pocas posibilidades de gozar de minutos. El del camerunés, mucho más turbio. Guardiola no contaba con él, el mejor artillero que había tenido el Barça en décadas. Todo un verano de negociaciones culminó con su marcha rumbo al Inter, a cambio de Zlatan Ibrahimovic y una buena fortuna. En total, la operación costó unos 70 millones de euros. Confirmado su adiós, Andrés defendió a Eto'o a capa y espada: "A Samuel hay que recordarlo como lo que ha sido. La historia dice que como delantero hay muy pocos como él desde que el club es club. No sé si hay alguno como él. Lo que sí sé es que el Barcelona tendría que hacerle una estatua. Samuel ha sido fundamental en los años que ha estado y en los títulos que se han conseguido. Es mi amigo y mi compañero, he mantenido una buena relación con él y le tengo un respeto muy grande. Por supuesto que le deseo lo mejor". Unos años después, el camerunés le devolvería los elogios diciendo que quien se merecía muchos monumentos era

Andrés, al que definió como una de sus debilidades. Una persona que le ganó desde el primer día. El manchego, varios meses apático y al borde de la depresión, prosiguió su camino hasta que pudo celebrar una buena noticia: el 27 de noviembre de 2009 firmó su tercera renovación con Laporta, hasta 2015. Su cláusula de rescisión se elevó a 200 millones de euros y se situó en la segunda escala salarial de la plantilla, a la altura de Xavi y solo por detrás de Messi.

No sin sufrimiento, el Barça acabaría ganando la segunda Liga con Guardiola en el banquillo, después de haber conquistado la Supercopa de España, la Supercopa de Europa y el Mundial de Clubes: seis títulos en un año natural. El Barça ganó todos los campeonatos que disputó durante 2009, algo inédito en la historia del fútbol. Andrés participó en 42 partidos, 31 como titular, y únicamente marcó un gol. Pasó más tiempo que nunca en las camillas, con los fisioterapeutas del club. Especialmente compartió momentos con Emili Ricart. Las carreras por la carretera de les Aigües de Barcelona con un montón de corredores espontáneos unidos a su expedición son de los mejores recuerdos que el manchego guarda de aquel infernal proceso de recuperación, que le tuvo entre algodones durante toda la primera vuelta de Liga. Entre abril de 2008 —final de la era Rijkaard— y abril de 2010, Iniesta sufrió nada más y nada menos que diez lesiones, ocho de ellas musculares. Únicamente las dos que le afectaron al último tramo de la campaña 2007-2008 estaban relacionadas con el menisco. Las demás atacaron al recto anterior de ambas piernas, a sus muslos y al aductor y bíceps femoral de la pierna derecha.

Si sumamos todas las bajas que le dieron los servicios médicos del Barça de forma oficial en esos dos años, Andrés llegó a estar ocho meses parado. Las dos últimas lesiones que tuvo, en el bíceps femoral, fueron al término de la temporada 2009-2010. La segunda, justo después de participar, como suplente, en la victoria sobre el Madrid de Pellegrini en el Santiago Bernabéu (0-2). Un triunfo que volvería a valer una Liga, aunque se tuvo que sudar hasta la última jornada y se ganó con 99 puntos. Sin embargo, esa última lesión le privó de participar en la eliminatoria de semifinales de la Champions contra el Inter de Mourinho, que apeó al Barça del camino que desembocaba en la final europea del propio Bernabéu. De hecho, la misma lesión estuvo a punto de apartar a Iniesta del Mundial de Sudáfrica.

"Ese día me mató. Fue uno de los días que más hundido me he sentido. Se me desgarró el isquio, pero fue como si se me desgarrase el alma. Lo había pasado tan mal durante toda la temporada que el Mundial era el gran sueño, el objetivo, poder liberarte y sentirte otra vez futbolista y feliz", expresó Andrés un tiempo después. Víctor Valdés lo sufrió en primera persona: "El peor día de Andrés fue durísimo y para mí también. En un entrenamiento a final de temporada. Se fue a una esquina del campo a llorar con Emili Ricart. A nivel personal atravesó momentos muy difíciles. Atravesó una crisis muy fuerte". "La gente no es consciente de momentos muy difíciles durante todo el año. Creo que llegué a perder la confianza en mi juego", reconocía el propio Andrés. Ricart recuerda que "algo no encajaba en el puzle". "Estaba hundido totalmente, era una situación de la que parecía que no íbamos a salir", comentó el antiguo *fisio* del Barça al programa de Canal Plus *Informe Robinson*. El mejor remedio de Ricart de cara al Mundial fue regalarle un DVD repleto de ejemplos de superación. Con los casos de Roger Federer, Fernando Alonso y Manel Estiarte, campeones del mundo en sus disciplinas que se sobrepusieron a momentos de abatimiento.

Vicente Del Bosque convocó a los que consideró que eran los mejores futbolistas españoles en ese momento. Así lo dijo: "Llevamos a los mejores". Pero entre ellos había tres casos especiales de jugadores clave en el equipo afectados por lesiones: Torres, Fàbregas y el propio Iniesta. Andrés llegó a tiempo para jugar el primer encuentro del Mundial como titular. Suiza ganó a España (0-1), que llegaba al torneo entre las favoritas, y las críticas se desataron contra el sistema de Del Bosque a pesar del abanico interminable de ocasiones que se crearon. El seleccionador apostaba por un centro del campo más defensivo que Aragonés, formado por Busquets y Alonso, que venían a sustituir la figura de Senna. Iniesta y Xavi seguían siendo indiscutibles en una plantilla a la que también se sumaron Piqué, Pedro y Valdés. Andrés no terminó el partido por un fuerte golpe y volvieron los fantasmas de las lesiones: "Entre el partido de Suiza y Honduras lo pasé muy mal". Raúl Martínez, el *fisio* de la selección, fue su luz: "Gracias a él jugué el Mundial". La reivindicación española llegó en el siguiente encuentro contra la débil Honduras (2-0), donde Andrés no jugó ni un minuto. Afortunadamente, el equipo no le necesitó para ganar con los goles de Villa. Al manchego lo reservaron para el siguiente encuentro, el primer cara o cruz del torneo, contra la selección de Chile entrenada por Marcelo Bielsa y con Alexis Sánchez entre sus jugadores más peligrosos. Antes del partido, la sensación era de tensión, casi de miedo por poder caer eliminados a las primeras de cambio. "Ese día, el silencio en el autocar fue terrible", reconocía Del Bosque. Andrés asumió galones y deleitó al público con su visión de juego, que no entendía de barreras ni de fronteras, capaz de superar cualquier obstáculo. Fue nombrado MVP del encuentro. Un gol suyo —el tanto número 100 del Mundial— y otro de Villa metieron a España (2-1) en octavos de final, en un partido que desató la euforia y que se convirtió en la primera oleada de júbilo de las varias que estaban por venir. Andrés volvió a creer en sus posibilidades a partir de aquel momento. El siguiente obstáculo fue Portugal. El combinado de Cristiano Ronaldo complicó las cosas a la selección pese a su fútbol rácano en ataque y tuvo que ser Villa, nuevamente, el salvador (1-0), tras una jugada comandada por Andrés y con una asistencia de tacón maravillosa de Xavi. En cuartos, España se llevó por delante a la selección de Paraguay, entrenada por el que acabaría siendo técnico del FC Barcelona, Gerardo *el Tata* Martino. Los de Del Bosque, abonados a ganar por la mínima, volvieron a imponerse gracias a Casillas, que paró un penalti, y a la pólvora del *Guaje* (1-0), que marcó cinco goles en la competición. Sin embargo, Iniesta fue nombrado mejor jugador del partido pues de su ingenio brotó magia en forma de balón que sirvió para protagonizar la jugada del gol y encandilar a propios y extraños. La semifinal, igual de reñida, fue contra la Alemania de Joachim Löw, con jugadores de la talla de Klose, Özil, Schweinsteiger o Lahm. Sin embargo, aquel partido lo decidió el menos goleador de todos, Puyol. Fue un gol *made in* La Masía, a centro de Xavi. Una jugada ensayada en el Barça, a la que Del Bosque dio el visto bueno y que sirvió para alcanzar la final de las finales del fútbol.

El silencio volvió a apoderarse del autobús de la selección el 11 de julio de 2010. Era el momento más importante de sus carreras deportivas. Iniesta, que había jugado los 90 minutos de todas las eliminatorias, se encontraba plenamente recuperado de su lesión. Su deliciosa conexión con Xavi, junto a los goles de Villa y las paradas de Iker, habían llevado a la selección hasta donde nunca fue capaz de llegar antes. Superado el gran escollo de los cuartos, con Andrés como absoluto protagonista de la función, la selección estaba destinada a llegar hasta las últimas consecuencias, fiel a su estilo. Antes de la final visionó el vídeo de Emili Ricart por última vez. Temblaba en el túnel de vestuarios, a lo lejos veía la Copa, la "más bonita de todas", según reconoció posteriormente. Contra Holanda, volvía a ser hora de que Iniesta asumiese galones. No fue tarea fácil. Sneijder, Van Persie y la velocidad endiablada de Robben a la contra trastabillaron los esquemas de La Roja, y a punto estuvo de cambiar el guión de la final. Los dos sobresaltos que provocó el extremo holandés pasaron a la historia como el directo a la mandíbula que pudo ser y no fue. *El Santo* se vistió para la ocasión y sus compañeros —Ramos, Piqué, Puyol, Capdevila, Alonso, Busquets, Xavi, Iniesta, Pedro y Villa— dieron una lección de fútbol digna de ser inmortalizada. Con deportividad, cosa que se echó de menos en Holanda, en manos —y patadas— de Van Bommel y De Jong. Andrés terminó el duelo lleno de "heridas de guerra", marcas y moratones fruto de la agresividad de la escuadra holandesa y, en concreto, de su antiguo compañero en el FC Barcelona. "Del que yo recibí, me lo esperaba", llegó a confesar Andrés, que en un arrebato de ira le propinó un golpe al holandés sin balón de por medio. Pero el manchego estaba convencido de que el destino estaría de su parte. Ramos, Villa, Cesc... Varios jugadores tuvieron opciones de marcar el gol de la victoria, pero Stekelenburg se había transformado en un muro infranqueable. Se llegó a la prórroga sin goles y al descanso de la prórroga en idénticas condiciones. Todo apuntaba a los penaltis.

Minuto 116 de partido. Una carrera infinita de Navas por banda derecha hasta que el séquito de holandeses le tiende una emboscada. El balón llega a Iniesta, que le da oxígeno con una rápida circulación en dos toques, de tacón. Recibe Cesc, que se la devuelve a Navas y este la lleva a la banda izquierda. Torres controla y advierte el desmarque de Andrés. Pone el centro, pero despeja Van der Vaart a marchas forzadas. Otra vez Cesc, se hace con el rechace y acaba la jugada que buscaba Torres. Una diagonal perfecta y el balón en bandeja para *Andresito*. "Se para todo y solo estamos el balón y yo. Como cuando ves una imagen a cámara lenta. Es difícil escuchar el silencio, pero yo en ese momento escuché el silencio y sabía que ese balón iba dentro." A toda España se le puso la piel de gallina cuando Andrés salió corriendo a celebrar el gol, se quitó la elástica azul y dejó ver la camiseta blanca interior que llevaba debajo con una inscripción eterna: "Dani Jarque siempre con nosotros". Todos lo vieron en la repetición. El estallido de felicidad había sido demasiado fuerte como para no celebrarlo presos de euforia, de locura. No importaba ser del Barça, del Madrid o del Espanyol, aficionados de todas partes lloraron emocionados con el gol y con el sentimiento que desprendía aquella dedicatoria. La pérdida de Jarque había sido el peor de los males para Andrés en una temporada de ingrato recuerdo, y precisamente con esa celebración tan ligada a Jarque completó el círculo. Rompió el maleficio. Acabó con los fantasmas. "Me hace muy feliz que no solo yo sea recordado, sino que también Dani Jarque será recordado."

"Marcó el gol de todos", aseguró su compañero Fernando Torres a *Informe Robinson*. Cuando Howard Webb pitó el final del encuentro, Andrés se desplomó sobre el césped del Soccer City de Johannesburgo. "Miré al cielo y me tiré al suelo. En ese momento estaba en el suelo llorando como nunca." Entonces llegó su compañero en los desplazamientos del autobús, su amigo de la infancia Víctor Valdés. "Volví a ver a un Andrés emocionado, pero de alegría. Me emocionó mucho. El verlo llorar de alegría ese año que había sufrido tanto, era como si el gol lo hubiese marcado yo, o incluso más." "Lo que había pasado un año atrás y poder acabar así era inimaginable", fueron las palabras de Andrés.

El empresario

"El sentirte feliz como persona es superior a cualquier triunfo" y "lo que ve la gente es lo que me han enseñado mis padres" son dos frases que definen a la perfección lo que es Andrés Iniesta. El futbolista que esculpía maravillas con sus botas y por ello era admirado en todo el mundo. Pero más allá de su talento infinito, siempre se ganó el respeto de todos por su personalidad, por sus valores. Irónico en el cara a cara, meticuloso en el trabajo y poco amante de la improvisación en el día a día. Como era de pequeño, familiar y sedentario. De amable sonrisa, pero con carácter. Con estas premisas, Iniesta se consagró en el fútbol mundial y también en el terreno empresarial.

La familia Iniesta, que tuvo que pasar penurias en sus humildes orígenes, se ha consolidado al mando de varios negocios. Algo que ha sido posible gracias al talento de Andrés y a su capacidad de sacrificio. A esa cabezonería que le hace conseguir todo lo que se propone y que le llevó a luchar por la supervivencia del Albacete. Pero también a la buena gestión de su padre. A iniciativa de José Antonio, Andrés emprendió la aventura vinícola con la fundación de Bodega Iniesta. Corazón Loco, Finca El Carril y Valeria son algunos de sus vinos más emblemáticos, además de la venta de aceites en producción limitada. El aceite Corazón Loco Óleo Iniesta lo extraen de sus propios olivos, plantados en una finca de su propiedad en Albacete, y lo venden en exclusividad: unas 12.000 unidades embotelladas. "Los vinos son especiales. Quisimos prepararlo todo para que cuando saliera la primera botella saliera como si llevase 20 años en el mercado. Mientras que el aceite es arbequina cien por cien, la mejor variedad aromática que hay, extraído de nuestras propias olivas", explica José Antonio. La idea de crear las bodegas fue del padre de Andrés, que después de comprar un terreno de viñedos de 120 hectáreas sacó al mercado su propio vino selecto. Y es que una de las premisas de la familia Iniesta es que quien no arriesga no gana: "Se lo expuse a Andrés. Aquello tenía unos costes, pero era una empresa más. Como todo en la vida, si no haces cosas no pueden funcionar. La verdad es que de momento el rendimiento no es malo". Bodega Iniesta, con sede en Fuentealbilla, tiene un capital social suscrito de seis millones de euros y cuenta con una plantilla de 11 trabajadores, ocho de ellos fijos. Inició su actividad en diciembre de 2009, pero todavía no han conseguido generar beneficios. En agosto de 2013, decidieron ampliar su actividad social a la prestación de servicios de restaurantes, café-bares, cafeterías, *catering*, convenciones, hospedaje y alojamientos turísticos. Es una inversión a largo plazo.

Además del vino, José Antonio y Andrés manejan varias sociedades más. Dos de ellas, solo a nombre de Andrés, dedicadas a la obra: Construcciones Albiniesta SL y Andrés Iniesta Construcciones SL. La primera, con un capital social de 49.100 euros. La segunda, con algo menos de la mitad. Ambas tienen su domicilio social en Fuentealbilla. También afincada en el pueblo está Residencia Cristo del Valle SL, una empresa a nombre de José Antonio que fue constituida en agosto de 2012 y que se dedica a la explotación de derechos de imagen de deportistas profesionales, con un capital social mínimo. Padre e hijo constan como administradores solidarios de la compañía Maresyterey SL, que cuenta con unos fondos bastante más elevados que las anteriores empresas: 8,4 millones de euros. Esta sociedad es la que explota los derechos de imagen de Andrés, que se derivan de los numerosos contratos publicitarios que ha firmado desde que empezó a tener notoriedad. La firma Nike, con la que siempre van vestidos tanto José Antonio como Andrés, fue de las primeras en apostar por el talento del centrocampista, cuando todavía era *Andresito*. Su vinculación es tan fuerte, que incluso en la puerta exterior de la casa de Andrés en Fuentealbilla se puede ver el logo de la marca de ropa estadounidense. Una casa que, por cierto, está ubicada en la calle de Andrés Iniesta, que la pusieron como homenaje del pueblo a su hijo pródigo en 2008, tras la consecución de su primera Eurocopa. Después de aquello vendrían muchos más homenajes, hasta que en 2013 le construyeron una estatua de bronce. Un “monumento”, que diría Samuel Eto’o.

Otras marcas que han invertido en la imagen de Iniesta con éxito son el BBVA, Gol T, gimnasios DiR, cuchillos Arcos de Albacete y, sobre todo, la ya popular casa de helados Kalise, que ha ganado un importante plus de notoriedad desde que Andrés dijo aquello de “Kalise para todos”. También ha colaborado con Jordi Évole en la promoción del programa de La Sexta *Salvados* y tiene versiones humorísticas en otras producciones de televisión como *Crackòvia*, de TV3, donde se ha hecho emblemática una frase muy suya, "la verdad es que sí", y le apodan "lo puto gusiluz" porque, de tan blanco que es, aseguran que brilla por la noche. Iniesta ha sabido sacar provecho de su imagen también a través de las redes sociales. De hecho, siempre le atrajo el mundo de la interacción social vía Internet. Suele pasar con la gente tímida. Antes de ser tan famoso, hizo algún que otro amigo a través de las redes sociales. En Facebook, tiene casi 14 millones de seguidores y en Twitter ya supera la barrera de los 6,5 millones de fans. Algunos cientos de ellos han tenido la oportunidad de conocerlo, porque Andrés es así, facilita las cosas en la medida de lo posible. Y si hace falta, organiza una sesión de cine para decenas de aficionados que prefieren mirarle a él antes que al James Bond de turno que acapara la gran pantalla. Hasta el punto de que tiene que hacer uso de su irónico y fino sentido del humor para recordarles que "la peli está delante". Esto ocurrió en un acto de promoción de una película de Sony, otra de las marcas con las que colabora. Iniesta utiliza las redes sociales para promocionar videojuegos y películas, así como para difundir otro tipo de iniciativas y campañas solidarias. Todos estos contratos, gracias a sus éxitos en el balompié, han hecho de Andrés un icono mediático reconocido mundialmente.

Éxtasis futbolístico

La consolidación empresarial de Andrés fue de la mano de su consagración futbolística, que alcanzó su máximo esplendor en la temporada 2010-2011, justo después de conseguir el Mundial. La tercera temporada de Guardiola en el banquillo del Barça arrancaba con el último fichaje de Laporta, David Villa (40 millones de euros fijos), como principal novedad ofensiva en sustitución del díscolo Ibrahimovic. También se incorporaron Adriano y Mascherano. En el primer año de Sandro Rosell como presidente, tras una abultada victoria, Pedro se labró un nombre al lado del *Guaje*, ambos fieles escuderos de Messi. Los tres formaron un tridente demoledor, bautizado como MVP, que derribó al Real Madrid de José Mourinho y se proclamó campeón de la Liga y de la Champions en Wembley. Sin embargo, los blancos fueron capaces de evitar el triplete al ganar la Copa del Rey al eterno rival en la prórroga (0-1).

Durante aquella temporada, Andrés se sintió más futbolista que nunca. Deleitó al mundo entero con su fútbol exquisito, con sus recortes inverosímiles de fútbol sala, en espacios reducidos, y dejó atrás sus problemas con las lesiones. Andrés recuperó su mejor versión en 50 partidos jugados, 46 como titular, e igualó su récord goleador de nueve tantos. Además, recibió el apoyo incontestable de casi todas las aficiones de Primera División. Durante una temporada entera, Iniesta salió ovacionado de cada estadio. Guardiola fue cómplice del manchego y le sustituía en los minutos finales de los encuentros, cuando normalmente los rivales habían sido contundentemente derrotados. Pese a ello, el público se rendía a los pies de un Andrés que, aunque no lo parezca, se emocionaba.

La única excepción fue el Athletic Club. El conjunto bilbaíno tributó una sonora pitada a Iniesta el 25 de septiembre de 2010, después de recibir una dura entrada de Amorebieta, que se lo llevó por delante. Afortunadamente, el golpe no impactó directamente en él, pero podría haber sido de consecuencias graves. Así lo entendió el árbitro Mateu Lahoz, que expulsó al hispano-venezolano con tarjeta roja directa. La grada de San Mamés se echó encima del colegiado y de Iniesta, que fue retirado en camilla, aunque volvió al campo rápidamente. Tras el encuentro, Andrés no tenía dudas: "No puede valorarse por el daño al jugador. O sea, si me parte el tobillo está bien pitado, y si sigo jugando, amarilla, ¿no? La entrada es roja y ya está". Desde entonces, los pitidos hacia Iniesta en La Catedral se han convertido en tradición. En la temporada 2013, Andrés regresó a San Mamés el año de su centenario y pocos meses antes de su derrumbe, que ya se ha producido. En una rueda de prensa, Andrés dijo que para él San Mamés era un estadio más de Primera División, sin darle ninguna distinción. Su carácter le impedía dedicar elogios hacia un campo, histórico, en el que no le tratan bien. Sus palabras, que algunos entendieron como un desprecio, sirvieron para dedicarle una nueva y sonora pitada el 27 de abril de 2013.

Ese desplante que le brindaban en Bilbo era compensado con creces por los aplausos que Andrés recibía por toda España. Los más significativos, en Cornellà-El Prat. La dedicatoria a Dani Jarque quedó registrada en las entrañas del espíritu perico, que en el minuto 21 de cada partido le dedican un sentido homenaje a su eterno capitán, cuyo nombre se usó para nombrar la ciudad deportiva del club, en Sant Adrià del Besòs. El Espanyol guarda en su museo la camiseta con la que Iniesta marcó el gol del Mundial y, cada vez que el manchego pisa ese estadio, le llevan en volandas pese a vestir la elástica del Barça. El pasado 8 de agosto de 2013 se cumplieron cuatro años de su fallecimiento y Andrés volvió a mostrar su cariñoso recuerdo: "Hoy es 8 de agosto, un día señalado pero no diferente a cualquier otro desde aquel 2009. Se hace muy difícil. Dani, ¡te echo de menos, amigo!".

El partido más destacable de aquella temporada fue el clásico de Liga del Camp Nou, disputado el 29 de noviembre de 2010 en la jornada 13. Seguramente —y así lo reconoce Xavi, por ejemplo— fue el mejor encuentro que hayan jugado nunca con el Barça, ya que en frente tenían al Real Madrid de Mourinho y la inversión multimillonaria de Florentino Pérez. El conjunto de Guardiola provocó un "orgasmo" futbolístico entre sus aficionados y consiguió la ya famosa *manita* (5-0) contra el eterno rival gracias a los goles de Xavi, Pedro, Villa (2) y Jeffren. Andrés seguía sin "mojar" contra los blancos, pero protagonizó el vendaval azulgrana sincronizado hasta límites imposibles con el propio Xavi, que recibió del manchego la asistencia de su gol. Aquel día, Andrés volvió a demostrar que también tiene temperamento y que no le da miedo encararse si es necesario. Cristiano Ronaldo, la superestrella blanca, fue víctima de las advertencias de Iniesta en dos ocasiones. Primero, tras un rifirrafe entre el portugués y Guardiola, que se negó e entregarle un balón para sacar de banda. Después, tras una acción en que Iniesta fue golpeado y Ronaldo le dijo al árbitro que hacía teatro, que se había tirado. Andrés se lo tomó muy mal, porque si hay algo que no tolera es que le llamen cuentista. Deportivo al cien por cien, si cae es porque le han dado. Y así se lo recriminó a Cristiano, a quien le mandó callar después de darle un par de *palmaditas* en el pecho. Como dice su amigo Jordi Mesalles, "Iniesta es muy buena gente, pero que no le tomen por tonto porque de tonto no tiene un pelo". Aquella se convirtió en la temporada de los clásicos. En el tramo final del curso, Barça y Madrid se midieron hasta en cuatro ocasiones y de forma casi consecutiva. Dos empates (Liga y vuelta de Champions), una victoria para el Madrid (Copa del Rey) y un triunfo para el Barça (ida de semifinales de la Champions en el Bernabéu) desembocaron en una oleada de tensión irrefrenable, cuyo principal agitador fue Mourinho. El técnico luso sacó de sus casillas al propio Guardiola, que se despachó a gusto en una rueda de prensa posterior a la derrota copera y previa al 0-2 de Champions: "En esta sala, él es el puto jefe, el puto amo. Es el que más sabe del mundo y yo no quiero competir ni un instante". Sus pupilos salieron extramotivados y, pese al tosco encuentro que se vivió en el campo, el Barça ganó con dos goles de Messi, el segundo más propio de una Playstation, como diría Arsène Wenger, entrenador del Arsenal, tras ser arrollado durante dos años consecutivos por el Barça en la Champions League.

Entre medias del 5-0 y la espiral de clásicos se produjo un hecho histórico. En enero de 2011 tres jugadores del Barça formados en La Masía viajaron a Zúrich como nominados al FIFA Balón de Oro, el galardón individual más prestigioso del mundo del fútbol. Xavi, Messi y Andrés fueron los elegidos, exponentes del modelo futbolístico que gobernaba el planeta, por unanimidad. En una ajustada votación, el talento y la efectividad del argentino se impusieron a los méritos de los dos españoles, estandartes del juego colectivo y artífices de la victoria de España en el Mundial de 2010. Aunque Xavi había realizado una temporada más completa a nivel global, Andrés tenía a su favor el gol de la victoria española. Sin embargo, tenían ambos tan repartido el protagonismo en La Roja, que los expertos llegaron a la conclusión de que se habían perjudicado mutuamente. Al no haber un líder claro, Messi ganó por sus méritos individuales. Tanto Xavi como Andrés lo aceptaron con plena deportividad, conscientes de que Messi era el mejor del mundo. De hecho, así lo han declarado siempre que les han preguntado al respecto. "Leo es el mejor del mundo", suelen decir ambos sin problemas. No lo encajaron tan bien los allegados a ellos. Especialmente indignada se mostró la familia de Iniesta, concretamente su tío Andrés: "Creo poco en los dirigentes pero a partir de ahora voy a creer menos. ¿Qué pinta Villar? Messi será el mejor del mundo o uno de los mejores del mundo, pero nunca en un año se merece lo que se merecen Andrés o Xavi. Si se lo hubiesen dado a Xavi la familia y el pueblo hubiese aplaudido igual que si se lo dan a Andrés. Messi no tiene culpa porque el deporte es así... Pero si este año no se lo han dado, ¿qué tienen que hacer para que se lo den? ¿Tienen que subir al Everest?". El abuelo de Iniesta, Andrés Luján, se pronunció en una línea más moderada: "Yo creo que los tres se lo merecían y se han decidido por Messi, pues bien. Yo creo que Xavi y Andrés estarán contentos y orgullosos de estar donde están". Al margen de las opiniones, aunque no ajenos, Andrés y Xavi siguieron en su línea ejemplar, nutrieron a Messi de balones y se volvieron a plantar en una final europea.

El 28 de mayo de 2011 el Barça cerró el círculo de la Champions. Una explosión de fútbol total sometió por completo al Manchester United de *sir* Alex Ferguson, que terminó el partido rendido a la evidencia. Uno de los pilares del equipo, Wayne Rooney, se volvió a deshacer en elogios hacia el juego de Iniesta, con quien le hubiese encantado llegar a compartir vestuario: "Es el mejor del mundo". Pedro, Messi y Villa fueron los autores de los goles que trajeron la cuarta Champions a las vitrinas del Barça. Como la primera, fue conquistada en el mítico estadio de Wembley. Eso sí, remodelado 19 años después de la que conquistó el Dream Team. Andrés, que volvió a deleitar con su fútbol de orfebrería, conquistaba la tercera Champions de un palmarés inmaculado. Una copa que levantó Éric Abidal, saltándose el protocolo que dice que sea el capitán quien lo haga. Puyol, solidario como pocos, cedió el honor a *Abi* en reconocimiento a su vital y magnífica historia de superación. El dorsal 22 superó un tumor de hígado y tras su extirpación pudo jugar en la final de Londres. Igual que en 2009 jugó Andrés lesionado, Guardiola quiso ceder el protagonismo al lateral francés, que brilló como nunca y emocionó al mundo entero. Su imagen con la Champions de Wembley en sus manos y el gesto de rabia han quedado grabados en los anales de la historia de la competición europea por excelencia.

Fue un año inolvidable y repleto de récords. El Barça de la temporada 2010-2011 ganó 16 jornadas consecutivas (récord histórico) y obtuvo diez victorias seguidas fuera de casa, además de marcar en las 19 jornadas que jugaron como visitantes (récords históricos). También es el equipo que más jornadas ha durado sin perder en la historia de la Liga: un total de 31. Sin duda, fue una temporada de ensueño. No así, la siguiente campaña, la 2011-2012. Sin ser un mal curso, el Barça perdió su hegemonía en la Liga contra el Madrid de Mourinho, que terminó por desquiciar a Guardiola colaborando en su prematura salida. En el último año de Pep, el Barça volvió a conquistar las supercopas y el Mundial de Clubes contra el Santos de Neymar (4-0). También la Copa del Rey, final que Iniesta tenía pendiente de poder jugar y así lo hizo, otra vez contra el Athletic (0-3). Sin embargo, el equipo no aguantó el elevado ritmo impuesto por los blancos en el campeonato local, ni pudo doblegar a un afortunado Chelsea en las semifinales de la Champions. Pese a todo, Andrés volvió a tener muy buenos números en los 48 partidos que disputó (40 de inicio). Marcó un total de ocho goles y repartió 14 asistencias, su mejor registro hasta ese momento.

La temporada empezó con mucha tensión porque ya en la Supercopa se volvieron a ver las caras contra el Madrid. El Barça se había reforzado con Alexis Sánchez y el anhelado fichaje de Cesc Fàbregas. Ganó, pero sufrió horrores en una eliminatoria muy ajustada que acabó con una nueva bronca. La imagen más lamentable la protagonizó Mourinho, al meter el dedo en el ojo de Tito Vilanova. Antes, Iniesta se estrenó como goleador contra el Real Madrid en el partido que decidió el título (3-2), en el Camp Nou. El manchego picó un balón con suma elegancia por encima de Casillas, tras aprovechar un pase magistral de Messi. Se fundieron en un abrazo y, luego, Messi marcó los otros dos goles. Precisamente contra los blancos, y en un partido que era decisivo para el título de Liga, en abril de 2012, Andrés se despidió de la mejor racha sin perder a nivel individual en la historia del campeonato doméstico. El manchego estuvo un total de 55 partidos invicto con el Barça, pero el Madrid le arrebató el récord y la Liga con el fatídico 1-2 en casa.

Comenzó bien el año, pero terminó con tristeza por dos motivos. Primero, la recaída de Abidal, al que le tuvieron que hacer un trasplante de hígado que fue posible gracias a la donación de su primo Gerard. Afortunadamente, pudo seguir vinculado al equipo. Segundo, el adiós de Pep Guardiola. El técnico ofreció una rueda de prensa poco después de la eliminación a manos del Chelsea, donde esgrimió que se había vaciado por dentro y necesitaba volver a llenarse. Fueron las palabras que explicaban el porqué de su sorpresiva despedida, un adiós por muchos inesperado. Tito Vilanova, hasta ese momento segundo entrenador de Guardiola, tomaría el mando a pesar de que le detectaron un tumor en la glándula parótida escaso medio año antes. A priori satisfactoriamente extirpado, Vilanova asumió con ganas e ilusión su sueño de ser entrenador del Barça. La labor de los cuatro capitanes (Puyol, Xavi, Valdés y Andrés) fue vital para garantizar una buena transición. Sin embargo, pocos se esperaban un año con tantas complicaciones como el que estaba por venir.

El ídolo que le ayudó a crecer y que le convirtió en historia se apartaba de su lado. Pero Iniesta siempre ha tenido muy claro lo que Guardiola significó para él mientras estaban juntos: "Nosotros hemos tenido la suerte de poder contar con Pep Guardiola como entrenador. Es una persona que conoce como nadie el percal: ha sido de la cantera, ve el fútbol como nadie y nos conoce a todos. Es la clave de que este equipo haya ganado lo que ha ganado y pueda volver a ganarlo. Ya me gustaban sus formas cuando era jugador, y ahora nos ha ayudado mucho con decisiones como la de minimizar las concentraciones, porque reduce el nivel de estrés, y reunirnos en la ciudad deportiva, porque nos da una mayor tranquilidad y mejor convivencia. El míster es nuestra luz".

Y lo siguió teniendo claro después. En varias frases, Iniesta explica la marcha de Guardiola y un momento especial: "Son prácticamente 24 horas pensando en fútbol, en sus jugadores, cómo vamos a jugar el partido... Si tuviese más horas el día, serían más horas. Eso es un desgaste que ha tenido". "Me quedo con el día en que ganamos el primer Mundialito y conseguimos el sexto título del año. Explotó por dentro y rompió a llorar. Creo que es una imagen muy significativa." Para terminar, le manda un mensaje directo a través de un vídeo titulado *El círculo del cuatro*: "Agradecerte de una forma todo este tiempo... Hay infinidad de cosas que te agradecería. Ha sido un privilegio poder estar a tus órdenes. La verdad es que sí".

Sonrisas y lágrimas

"Nunca he dejado de ser niño o de hacer lo que hacía cuando era niño. Pienso que mi juego es en gran parte lo que hacía de pequeño, en la pista del colegio, con mis amigos allí en Albacete. Claro que mi juego ha mejorado con todos los maestros que he tenido aquí cuando empecé. Pero no puedo dejar de ser niño cuando es eso lo que me ha llevado adonde estoy. Creo que la esencia que llevas dentro es lo que te hace estar más arriba", reconoce Andrés en una entrevista a Catalunya Radio conducida por Manel Fuentes en enero de 2013.

Andrés todavía siente vivo el niño que todos, o casi todos, llevamos dentro. Además, le gustan los niños. Por eso no era de extrañar que tarde o temprano le llegase la hora de tener el suyo propio y convertirse en "papá Iniesta". El 4 de abril de 2011 nació Valeria, su hija. Una preciosa niña de cabellos dorados que supuso un punto de inflexión, muy positivo, en la vida de Andrés. Un paso de gigante hacia una madurez cada vez más visible. "Ha nacido nuestra niña Valeria, su mamá y ella están muy bien! Ha sido maravilloso!!", publicó el centrocampista en las redes sociales. Poco más de un año después, el 8 de julio de 2012, contrajo matrimonio con Anna en una celebración de cuento de hadas. La ceremonia se produjo en el castillo de Tamarit, del siglo XI, levantado sobre una colina junto a un acantilado. Brisa, vistas al mar y una fiesta por todo lo alto con unos 600 invitados que siguió en la masía Mas d'en Ros. La boda fue el lugar de reencuentro de futbolistas del Barça y de la selección, de entrenadores, de presidentes y de mucha gente que pasó por su vida. Estaban Jorge Troiteiro y Jordi Mesalles, uno de los testigos. Ambos pudieron saludar a *Ferri*, el vigilante de La Masía, o a Fernando, el cocinero. Del primer equipo del Barça, no faltaron Xavi, Puyol, Víctor, Pedro, Busquets, Piqué, Cesc o Messi. También asistieron antiguos compañeros como Eto'o, Milito y el ya exentrenador Pep Guardiola. Tampoco falló Joan Laporta, que coincidió con Sandro Rosell. Lo cierto es que salió todo rodado y se fueron a Cancún de luna de miel. Un año después de la boda, Anna Ortiz no ha dudado en hacer públicos algunos mensajes que confirman su pleno enamoramiento de Andrés: "Te volvería a decir que SÍ... Un millón de veces...!!".

Justo antes de la boda, entre el 8 de junio y el 1 de julio de 2012, España volvió a disputar la Eurocopa. Vigentes campeones, los de Del Bosque llegaban como claros favoritos. Y ya se sabe que los favoritismos muchas veces son perjudiciales en el fútbol. No fue un camino fácil. Italia fue el primer escollo en la fase de grupos (1-1), aunque luego se repusieron con las victorias, una holgada y la otra justa, contra Irlanda (4-0) y Croacia (1-0). La fase de eliminatorias sería especialmente compleja esta vez. Primero llegó el turno de Francia, con Ribéry y Benzema a la cabeza. Los galos plantearon muchos problemas al equipo de Del Bosque, que no marcó el gol de la tranquilidad (2-0) hasta el minuto 90, y de penalti. Más difícil fue superar a Portugal, con Cristiano Ronaldo al frente. El entramado defensivo de los lusos llevó el encuentro hasta los penaltis, tras terminar sin goles. Una vez más, España hizo gala de su excelente temple y técnica para ejecutar las penas máximas. Los tantos de Iniesta, Piqué, Ramos a lo *Panenka* y Fàbregas fueron suficiente para alcanzar la final. La anécdota de aquel pase la puso la periodista Sara Carbonero, pareja de Iker Casillas. Carbonero le preguntó a Andrés si le hubiese gustado chutar uno de los penaltis y Andrés, sorprendido pero con buen humor le contestó: "Bueno sí... De hecho, he tirado el segundo y afortunadamente todo ha salido bien". En la final volverían a verse las caras con Italia, que derrotó a Alemania en la semifinal con un brillante partido comandado por Pirlo, el genio del Calcio. Andrés y Pirlo llegaban como máximos estandartes de sus respectivos equipos, favoritos a conquistar el premio a mejor jugador del torneo en función de quien ganase en la final. Y no hubo color. Si las anteriores finales de España (Alemania y Holanda) habían sido sufridas y ajustadas, contra Italia la selección desplegó su mayor arsenal de recursos. El contundente 4-0 con goles de Silva, Jordi Alba, Torres y Juan Mata habla por sí solo. Iniesta no marcó ningún gol durante el torneo salvo el penalti, pero en la final volvió a hacer gala de su excelsa visión de juego. De un pase imaginario, casi imposible, que solo él podía hacer realidad, nació el primer gol de España. Fue el mejor jugador del partido en tres encuentros, entre ellos la final, y conquistó el galardón de MVP del torneo. Andrés puso la magia y, una vez más, se encumbró a lo más alto del panorama internacional con la elástica roja.

Los reconocimientos en la Eurocopa tuvieron continuidad y el 30 de agosto de 2012 recibió, al fin, el primer galardón individual de prestigio internacional: el premio de la UEFA a mejor jugador de Europa de 2012, entregado de manos de Michel Platini, presidente del organismo europeo. Iniesta resultó vencedor tras la votación de 53 periodistas de la European Sports Media (ESM), que votaron al momento, durante el transcurso de la gala. Fue una votación muy ajustada, donde sus 19 votos se impusieron a los 17 que obtuvieron Messi y Cristiano Ronaldo, respectivamente. El talento de Andrés se impuso a la ferocidad goleadora de los dos colosos del fútbol mundial. Y así lo expresó el manchego, algo tembloroso y sorprendido por el premio: "Feliz, contento de poder tener este trofeo. Sobre todo, felicitarles a ellos también, es un verdadero privilegio por estar en el podio con ellos, dos monstruos del fútbol. Quería compartirlo con Leo, que es compañero de equipo, con mis compañeros de equipo y con mis compañeros de la selección. La verdad es que sin ellos un premio individual no tiene sentido. Muchas gracias". Un discurso cargado de humildad, de sinceridad, de las bondades que entraña su personalidad y que tanto y tanto coincide en destacar todo el mundo. Los que le conocen e incluso los que no. Uno de los que sí que le conoce bien, Vicente del Bosque, no pudo más que rendirse a su futbolista y explicar claro por qué era merecedor de semejante reconocimiento: "Porque es muy bueno, porque es un jugador de equipo y porque es muy majo, cae bien a todo el mundo, que es muy importante. Porque aparte de ser buenos, tienen que ser ejemplos".

En enero de 2013 también estuvo en Zúrich nominado al Balón de Oro. Al lado de los mismos "monstruos", Andrés no repitió fortuna. La votación al galardón de la FIFA entraña diversas diferencias con respecto al de la UEFA. Además de que votan muchas más personas —en la última edición fueron 483 para ser exactos—, no son solamente periodistas, sino también futbolistas y entrenadores. Los capitanes y técnicos de las selecciones del mundo son los que ostentan el peso de la votación, con criterios distintos a los periodísticos. El FIFA Balón de Oro se aprobó en julio de 2010 y entró en vigor el año que coincidieron Andrés, Xavi y Messi. El argentino se ha visto beneficiado de este sistema, que le ha ayudado a conseguir los últimos cuatro Balones de Oro y es claro aspirante al que se dará en 2014. Messi ganó, por tanto, la última edición del Balón de Oro, donde Iniesta fue el tercer clasificado, por detrás de Cristiano Ronaldo. Pese a no ganar, fue una gran velada para Andrés, que además contó con el apoyo de sus amigos íntimos de Barcelona. Jordi, *Carlitos*, *Sesi* y Joel decidieron ir a verle y a mostrarle su apoyo, aunque no ganase. El club solo permitía tres acompañantes, que fueron la *Mari*, Maribel y Anna. Las tres viajaron con Andrés, Messi y sus tres familiares, otros jugadores como Piqué, Alves y Xavi —nominados al once ideal del año— y varios directivos del Barça en el *jet* privado que la FIFA financió para la ocasión, con unos costes de 35.500 euros. Su padre no fue, pero sus amigos querían estar ahí, igual que su cuñado *Juanmi*, así que se buscaron vuelo, alojamiento y consiguieron las entradas para la gala. Los cinco querían ir para estar con él y asumieron todos los gastos. Fue un bonito gesto de los amigos de Andrés, que se fueron al día siguiente de la gala. El *jet* del Barça partió la misma noche, tras el acto.

La temporada 2012-2013 fue especial. Un tanto agridulce. El 29 de octubre de 2012, Iniesta cumplió los diez años desde su debut. En aquella época había pasado de ser una "renacuajo" a toda una eminencia futbolística, que se codeaba con los mejores del mundo. A nivel personal volvió a ser un gran año. "El mejor", desde su punto de vista, obsesionado con mejorar cada año un poco con respecto al anterior. Los números le avalan: 48 partidos jugados (40 como titular), seis goles y su mayor registro de asistencias con diferencia: 21. Una cifra que le sirvió para destronar a Messi como mejor pasador del equipo y para consagrarse como el mejor asistente de Europa al término de la temporada. Además, cumplió un año más sin haber recibido ninguna tarjeta roja. Sin duda, intachable trayectoria la suya a nivel de deportividad. Pocos pueden decir lo mismo.

El Barça de Tito Vilanova ganó la Liga y batió un sinfín de registros. Para empezar, igualó la mayor puntuación de la historia, los 100 puntos que había conseguido el Real Madrid de Mourinho. En el aspecto goleador también se superaron, con 115 goles en Liga (150 en todas las competiciones). Deleitaron con la mejor primera vuelta de toda la historia, en la que no perdieron ningún partido y solo cedieron un empate (55 puntos y 64 goles), llegando a sacar una diferencia de 15 puntos al Real Madrid. Fue un comienzo demoledor para Vilanova. Sin embargo, el equipo no brilló en las grandes citas. Apenas se recuerda un buen partido en un duelo de prestigio. Se jugó el 12 de marzo de 2013 en el Camp Nou contra el Milan. El conjunto azulgrana había cosechado un sonrojante 2-0 en San Siro y necesitaba al menos tres goles para superar la eliminatoria de octavos de final de la Champions. Tras una racha de varios malos partidos seguidos, el aficionado no tenía mucha esperanza en lograr la remontada. Así se lo dijo un amigo cercano a Andrés un día que coincidieron, posterior al partido de ida: "¿Qué, nos vamos para casa, no?". "Le metemos cuatro", contestó Andrés. "Sigue soñando. No le metes cuatro al Milan ni borracho", le dijo su amigo. Andrés, muy confiado, insistió: "Le metemos cuatro". Y le metieron cuatro. El Milan llegó al Camp Nou como favorito, recibió por todas partes y se marchó con el rabo entre las piernas. Así lo recuerda su amigo: "Me lo dijo muy convencido, en plan 'le podemos meter cuatro, le queremos meter cuatro y le vamos a meter cuatro'. Yo no me lo creía, pero lo consiguieron. Y cuando nos volvimos a ver me dijo: 'Te dije que le meteríamos cuatro'".

El sabor agrio de la Liga llegó a partir de ese momento, aunque ya se venía arrastrando. En diciembre, Tito Vilanova recayó de su enfermedad y entre enero y marzo se tuvo que ir a Nueva York a recibir tratamiento. Durante dos meses, el equipo quedó en manos de Jordi Roura, segundo de Tito pero con escasa experiencia como técnico. Hizo un trabajo de "héroe", como no se cansaba de repetir Sandro Rosell, pero tuvo que lidiar con muchas problemáticas. De un lado, la lesión inesperada de Puyol y su operación fugaz tras la eliminatoria del Milan, que provocó un aluvión de críticas contra la figura del capitán. Del otro, y más importante, el anuncio de Víctor Valdés de que no iba a renovar con el club. Algo que sorprendió incluso a su amigo Andrés, que pidió respeto a la decisión de su compañero: "Será difícil sustituirle, pero para eso está el club y la secretaría técnica. Ahora no pienso en alternativas u otros porteros. Mi portero es Víctor y lo será hasta el último día en que esté aquí. Sigue siendo nuestro portero". Más sensible se mostró en declaraciones posteriores: "Le echaré mucho de menos cuando no esté. No hablamos de un futbolista cualquiera, sino de uno que lleva aquí 20 años y lo ha dado todo por el club, que se deja la vida por este equipo, por su gente, por sus compañeros. Cuando un jugador de su talla ha tenido este comportamiento y rendimiento con el club, solo se puede seguir aplaudiéndole. En agradecimiento a uno de los jugadores más importantes que tendrá este club en su historia. No se entenderían los títulos del Barça sin Víctor, es el mejor portero del mundo".

Andrés se convirtió en un pilar fundamental del equipo esa temporada. Pero no sobre el césped, donde ya lo era desde hacía años, sino en el vestuario, como uno de los líderes indiscutibles del conjunto. Andrés y Xavi fueron portavoces del club en los momentos más delicados, y hubo muchos. Alves y Piqué también asumieron mucho protagonismo con sus declaraciones a los medios. "Cogemos el peso porque toca. Llevamos mucho tiempo y algunos tenemos más edad, y es lo que toca cuando la situación no es la más idónea para todos. Pero es algo bonito", explicó Andrés una vez. Sin embargo, no era tan bonito cuando había que responder por varias derrotas. Tras la eliminación copera a manos del Madrid en el Camp Nou (0-3) reconoció que "el vestuario está jodido". Peor fue el "mazazo" de la Champions. El Bayern Múnich ganó en Alemania de manera contundente (4-0) y a los jugadores de la plantilla no les quedó más remedio que felicitar al rival y asumir que habían sido muy inferiores. Fue una derrota muy dura, ya que el Barça en ningún momento transmitió la imagen de poder plantar cara al Bayern. Quedó demostrado a la vuelta, donde los hombres de Vilanova, que ya había regresado a casa, volvieron a hincar la rodilla (0-3) ante la afición barcelonista. Un resultado global de 7-0 parecía excesivo y por eso mismo la temporada dejó un regusto amargo, a pesar de lograr la Liga de los récords. Después de la debacle, llegó el momento de las despedidas.

En apenas dos meses, durante el verano de 2013, pasó de todo. Lo primero, y más duro, fue despedir a Abidal. Más de dos años después de que le detectasen el tumor, Éric rompió todas las barreras posibles, superó todos los obstáculos, "saltó todas las vallas", como dijeron en su despedida. Sin embargo, el club consideró que no entraba en los valores de la entidad renovar el contrato de Abidal como futbolista durante un año más. El sueño de *Abi* era seguir jugando en el Barça, pero "el club tiene una opinión diferente", llegó a decir Abidal, siempre respetuoso, noble y de educación exquisita. Así que se tuvo que buscar otro destino: Mónaco. Además, regresó a una convocatoria con la selección de su país, Francia. A Iniesta, sensible como pocos, le llegó muy hondo la historia de Abidal, uno de los mejores compañeros dentro del vestuario. No pudo evitar emocionarse en la rueda de prensa de su despedida y en el homenaje que le brindó el estadio cuando levantó el trofeo de Liga junto a Tito Vilanova. Así se expresó Andrés en una rueda de prensa de Champions: "Para nosotros ha sido algo increíble. El momento en que *Abi* volvió a jugar es una sensación de piel de gallina, como se suele decir. Es algo único. Más allá de un ejemplo para él, para su familia y para nosotros, es un ejemplo para muchísima gente que puede estar viviendo momentos difíciles, que no sabes cómo tirar para adelante. Y tener un ejemplo como el de *Abi*, que vuelve a jugar a fútbol y después de todo lo que ha sufrido, es algo único. Es un ejemplo mayúsculo para todas las personas".

Posteriormente, llegaron buenas noticias, con la continuidad asegurada de Puyol y de Valdés, al menos por un año más. Sin embargo, no tardó en producirse la despedida de otro buen compañero de Andrés. David Villa, junto con Busquets y Pedro, se llegó a convertir en uno de los mejores amigos del manchego dentro del vestuario. El cariño del *Guaje* hacia Andrés es enorme, cosa que se ha podido comprobar en la celebración de algunos goles, donde Villa le besa con mucho afecto. Durante todo el año se estuvo especulando con la marcha del asturiano, al que Andrés no se cansó de describir como un "jugador fundamental". Finalmente, la falta de minutos desembocó en su marcha y a un precio que muchos aficionados no entienden (5,1 millones variables). Pero el golpe definitivo se produjo el 19 de julio de 2013, en pleno inicio de la pretemporada azulgrana. El mismo día que Fuentealbilla homenajeó a Iniesta con la estatua de bronce, Vilanova volvió a recaer de su enfermedad y tuvo que abandonar el cargo de entrenador del Barça. Tras cinco años juntos en el primer equipo, la de Tito iba a ser otra marcha dolorosa para Andrés y le deseó toda la suerte para el partido más importante: "Es un día de muchas emociones y contrastes. Tito lleva sufriendo mucho tiempo. Lo importante es la persona. Volverá a ganar esa batalla tan fea".

Y entre medio de tanta desdicha, España estuvo a punto de ganar la Copa Confederaciones, donde se enfrentan los campeones de cada continente, el campeón del mundo (España) y el organizador del próximo Mundial (Brasil). Precisamente estos últimos fueron los finalistas, después de un torneo que fue de más a menos para los de Del Bosque. Al revés de lo habitual. La selección empezó fenomenal contra Uruguay (2-1) y Andrés volvió a ser el mejor del partido. Arrasaron a Thaití (10-0) y a Nigeria (0-3) para pasar primeros de grupo. Sufrieron contra Italia en semifinales (0-0), aunque volvieron a ganar por penaltis para llegar asfixiados a la final. Al ser favoritos, la presión contra ellos era máxima, pitados en cada partido. Además, cinco jugadores de la selección sufrieron un robo, entre ellos Andrés, que no quiso hacerlo público. También les acusaron de protagonizar una fiesta en el hotel. Probablemente para desestabilizar, pues fue rotundamente desmentida. Total, en la final el Brasil de Neymar pasó como un remolino por encima de España (3-0). Iniesta, que jugaba la Confe Cup por vez primera, hubiese sido el mejor jugador del torneo de haber ganado. Pero no pudo ser y se quedó sin uno de los pocos títulos que faltan en su palmarés.

EPÍLOGO

Rumbo a Brasil 2014

"Me gustaría llegar al final de mi carrera, mirar atrás y ver que he conseguido muchas cosas... Eso es lo que al final queda en tu historia."

Estas palabras las pronunció en una ocasión *Andresito* Iniesta. Varios años después, puede mirar y sonreír orgulloso: un Mundial, dos Eurocopas, tres Champions, seis Ligas, dos Copas del Rey, dos Mundiales de Clubes, dos Supercopas de Europa y seis Supercopas de España. Como carta de presentación no está nada mal. Un total de 23 títulos como profesional, a los que habría que añadir el Europeo sub-19 y el Europeo sub-16 con la selección española, componen el envidiable palmarés de Andrés Iniesta. Solo superado en España por su eterna pareja en el centro del campo, Xavi, que comparte esos 23 títulos con el manchego y suma la Liga de 1999, la del centenario del Barcelona. Sí, a los dos les falta solamente la Copa Confederaciones. Parece difícil que Xavi tenga opciones de volverla a jugar en cuatro años. Por edad, Andrés tiene más posibilidades.

Desde la Champions de 2007-2008, que el Barça perdió en semifinales contra el Manchester United, Andrés ha alcanzado las fases finales de todas las competiciones internacionales que ha jugado salvo excepciones por lesión.

De hecho, ha ganado un trofeo de prestigio mundial cada año menos en 2013. En 2008, la Eurocopa de Austria y Suiza, y semifinalista de la Champions; en 2009, la Champions de Roma; en 2010, el Mundial de Sudáfrica y semifinalista de la Champions; en 2011, la Champions de Wembley; en 2012, la Eurocopa de Polonia y Ucrania, y semifinalista de la Champions; en 2013, semifinalista de la Champions y finalista de la Copa Confederaciones. Cinco trofeos internacionales en seis años y seis semifinales consecutivas en la Champions League. Se dice pronto. Siempre que cayeron, lo hicieron ante el equipo que terminó siendo campeón (United, Inter, Chelsea y Bayern).

No hace falta que espere a retirarse para poder contemplar con orgullo todo lo que ha ganado. La historia ya está construida, se enfoque como se enfoque. Pero la quiere seguir escribiendo. En el Barcelona empieza una nueva era con Gerardo Martino al mando, un argentino que entrenó mucho tiempo en Paraguay y que jugó en la Liga española en 1991, pero que tiene "ADN Barça", según el presidente Rosell. Se estrena como técnico en Europa, pero ya cuenta con la bendición de Andrés: "Si es el entrenador que ha elegido el club, es el entrenador ideal".

La otra novedad en el equipo es la presencia de Neymar, por quien el Barça pagó 57 millones de euros. El astro brasileño que derribó a España en la Copa Confederaciones con un auténtico golazo está llamado a formar un equipo de ensueño junto a Messi y Andrés. El mejor de Brasil, el mejor de Argentina y el mejor de España. Andrés no le ha negado ningún elogio, ni en lo futbolístico ni en lo personal: "talento puro", "futbolista espectacular", "ya está entre los grandes", "calidad brutal", "grandísimo fichaje", "tiene mucho ganado con su actitud", "será una *bomba* tenerlo".

La gran incógnita es si entre todos serán capaces de hacer un hueco a Cesc en el esquema de juego. Su ubicación ha sido difícil durante las dos primeras temporadas, siempre con Xavi, Andrés y Messi por delante. Y cuando compartía puesto con el manchego, a menudo este tenía que ser desplazado a banda, donde pierde espacios y está más apartado. Andrés, que nunca se queja, prefiere jugar en el medio y cerca del área. El engranaje del equipo con Cesc y con Neymar son las principales tareas que tendrá *el Tata* por delante, además de mantener la competitividad del Barça.

Pero el gran reto de este manchego, que se siente catalán como el que más —no en vano lleva más años en Catalunya que en su tierra y tanto su niña como su mujer son catalanas—, y así lo ha declarado en más de una ocasión, pasa por el Mundial de 2014. El mal sabor final de la Copa Confederaciones será un plus de motivación para una generación irrepetible. Una generación, no obstante, que se expone a sufrir importantes alteraciones en los próximos tiempos. Jóvenes talentos como Thiago, Isco, Illarramendi o Tello llaman fuerte a la puerta de la absoluta y pueden hacer peligrar la aparición de jugadores más consagrados. No es el caso de Andrés, llamado más que nunca a liderar el juego de La Roja. A sus 29 años, el 6 de España ya ha disputado 86 encuentros oficiales con la selección. Y tiene ganas de borrar el mal recuerdo del último partido en Maracaná.

El genio discreto mantiene intacta su ilusión por seguir haciendo las cosas bien y por ganar todos los títulos posibles. Pero, sobre todo, por seguir creciendo como persona, que al final es eso lo que queda realmente. Andrés no se cansa de repetirlo. Con el quinto contrato oficial con el Barça a la vuelta de la esquina, Iniesta todavía prioriza el aspecto personal. Es como quiere ser recordado. Y es lo que llega de él a los millones de fans que tiene repartidos por todo el mundo.

En una entrevista concedida a *El Periódico* en verano de 2013, el 8 del Barça muestra su lado más personal y descubre su amor por Valeria: "Con la 'peque' se me pasa todo". Asegura que se siente "fuerte", capaz de "hacer más cosas que antes". "La familia lo cambia todo al cien por cien. Aunque hayas tenido un mal día, eso le da otra dimensión a la vida y te va cambiando. Hay gente que me dice que se nota en mi forma de jugar, que se me ve mejor, como más natural. Quizás sí. Te sientes mejor."

Atrás quedan las dudas, las lágrimas, la desconfianza y los miedos. Seguro de sí mismo, *Don Andrés* encara un tramo importante de su carrera con la ambición del que se sabe capaz de conseguirlo todo. Con la humildad del que se siente orgulloso de sus orígenes. Con la personalidad del que nunca se da por vencido. Con el halo de esperanza que se desprende su color favorito, el verde. Precisamente, con esos ojos verdes que ocultan la bondad de cuando era un niño y la madurez del hombre en que se ha convertido, Andrés mira fijamente al destino y afronta el desafío de su vida rumbo al Mundial de Brasil, el templo del fútbol.